＼そのまま使える／

スッキリ図解 介護・障害福祉BCP作成ガイド

小濱道博・小林香織・小林柔斗 著

はじめに

BCP義務化の意味と目的

実効性のあるBCPが最短でつくれる1冊

令和6年法改定によりBCP（業務継続計画）策定が義務化されました。早急に対応しなくては、または実効性のあるBCPを策定しなくてはとこの本を手に取られた方も少なくないと思います。感染症や自然災害が発生した場合であっても、必要な介護サービスが継続的に提供できるよう、すべてのサービス事業者を対象に策定・研修・訓練の実施が義務化されたBCP。いままで取り組んでいた感染症対策や消防訓練とは違う意味を持ちます。

これまで筆者は300事業所ほどのBCP策定の支援をしてきました。BCPの本当の意味を知れば知るほど、この世にひとつとして同じBCPは存在しないと実感します。

本書は以前発売した『これならわかる〈スッキリ図解〉介護BCP』（2022，翔泳社）からさらにバージョンアップし、ほかにはない実効性のあるBCP策定ができる1冊です。

BCP作成を難しく考えない

本書のひな型では、どの介護サービスにも共通で必要な項目については、定型文章の部分修正で済ますことができるようにしました。反対に、時間をかけるべき箇所については、しっかりと時間を割いて検討していただくようにしています。その結果、最短1日でBCPの大枠を完成させることができるようになったのです。それを一冊にまとめたものが、この書籍です。

入力を簡単におこなっていただけるように、Word形式のひな型をダウンロードしていただくかたちをとりました（183ページ）。この書籍に入っている文章の多くは、すでに打ち込んであります。また、本文中にも書きましたが「厚生労働省や本書のひな型の項目をすべて埋めなければならない」という思い込みは捨ててください。ひな型は、考えられる項目を列挙しているに過ぎないので、必要なところだけを使えばよいのです。ハードルの高い項目は、後日検討としてもよいですし、削除しても問題ありません。できる範囲で、まずは完成させることが重要です。

そして、定期的に研修と訓練を実施しBCPを肉付けして、常にバージョンアップさせるという意識が大切です。まずは、ザックリとでよいので、できるところから作り始めていただきたいと思います。

令和6年4月　著者を代表して　小林香織

本書の使い方

ダウンロード資料をもとに解説が進む

本書は、すぐにＢＣＰ作成を始めたい方に向けた書籍になります。そのため、「そもそもＢＣＰってどういうものかわからない」という方は『これならわかる〈スッキリ図解〉介護ＢＣＰ』（２０２２，翔泳社）からお読みいただければと思います。

本書では、ダウンロード資料として提供しているＢＣＰのひな型（１８３ページ）をもとに解説を進めていきます。このひな型は、ＢＣＰ作成を支援してきた著者の実績からできたものです。３００事業所以上のＢＣＰの作成を支援するなかで掴んだ「作成ポイント」を網羅しています。

ひな型の使い方

ＢＣＰの基本的な内容は、施設・事業所ごとであまり変わらずほぼ共通なため、大幅に変更・修正する必要はありません。ほぼ共通とされている内容については「黒文字」でひな型に記載しています。

反対に、施設・事業所ごとで検討し、記入する必要がある内容もあります。そちらは「色文字（書籍上では青文字、ひな型では赤文字）」でひな型に記載されています。各項目の解説ページを読みながら、自施設・事業所で検討し、加筆修正をおこなってください。

見直し・さらなる修正が大切になる

本書のひな型に加筆修正をしてできるＢＣＰは、必要最低限の状態です。毎年の研修と訓練をとおして見直しをおこない、バージョンアップさせてください。

本書で使用するBCPのひな型

第Ⅱ章 平時からの備え

対応主体の決定、計画のメンテナンス・周知と、感染疑い事例発生の緊急時対応を見据えた事前準備を、下記の体制で実施する。

1 対応主体

BCP委員会の統括のもと、関係部門が一丸となって対応する。

2 対応事項

対応事項は以下のとおり。

項目	対応事項
(1)体制構築・整備①	(1)体制構築・整備① BCP委員長の統括のもと関係部門が一丸となって対応する。 ●全体を統括する責任者： 管理者 入力 代行者： 責任者 入力

主な役割	部署・役職	氏名	補足
委員長	管理者	入力	
副委員長	[illegible]	入力	
委員	[illegible]	入力	
委員	[illegible]	入力	
委員	[illegible]	入力	
委員			
委員			

(1)体制構築

区分	誰が 連絡者	いつ タイミング	どこへ 連絡先	何を 情報の内容	どのように 連絡方法	留意点
第一報	[illegible]	[illegible]	[illegible]	[illegible]	[illegible]	[illegible]
第一	[illegible]	[illegible]			[illegible]	[illegible]

右ページで、各項目の記入ポイントを解説しています

研修・訓練の実施

研修と訓練で共通意識を持てるようになる

実施頻度をチェック

【施設サービス】【在宅サービス】ともに研修は年1回以上、さらに新入職員への研修が義務づけられています。訓練は、【施設サービス】は年2回、【在宅サービス】は年1回以上実施しなければなりません。研修と訓練は、消火・避難訓練とは別日におこないます。

研修…外部講師の採用も検討

研修については、外部講師を設けることも推奨されています。もし、すぐに研修をおこなうことが難しい場合は「要検討」などと記入しておきましょう。

また、eラーニングの受講も有効です。簡単におこなうことができ、いままで気づけなかった、客観的視点からの問題点などが見つかることもあります。

訓練… は夏や冬がおすすめ

となう時期は各事業所で決め すが、「台風による洪水が多い 房確保や大雪の影響がある の、対策がより必要となり おこなうことをおすすめし

介 ビスを 毎 している場合は?

ビスを毎日提供している事業所では、研修・訓練を一度に全職員がおこなうことは困難です。そのため数回に分けておこない情報をまとめるか、一部の職員でおこなった研修・訓練の様子を録画して動画などにまとめておきましょう。

参加できない職員への対応

参加できない職員への対応も考えておくことが大切です。訓練は【施設サービス】だと年2回おこないますので、どちらかには参加できるよう日程を調整してください。

40

内容を修正する際に意識するとよいことなどです

左ページは、ひな型になります。ひな型の内容は、ダウンロード資料と同じですので、そちらを併せてご確認ください

(5) 研修・訓練の実施、ＢＣＰの検証・見直し

① 研修・訓練の実施

本計画における「緊急時の対応」に基づき、研修及び訓練を実施することとする。

施設は年2回行う消火・避難訓練とは別日に本計画の内容についての研修を実施する
(春・秋)
在宅は年1回以上実施する

●以下の教育を実施する。
(1)入職時研修
- 時期：入職時
- 担当：
- 方法：ＢＣＰの概念や必要性、感染症に関する情報を説明する。

(2)ＢＣＰ研修(全員を対象)
- 時期：
- 担当：
- 方法：ＢＣＰの概念や必要性、感染症に関する情報を共有する。

(3)外部ＢＣＰ研修(全員を対象)
- 時期：
- 担当：
- 方法：外部のｅラーニングを受講する。

●以下の訓練(シミュレーション)を実施する。
- 時期：
- 担当：
- 方法：感染者の発生を想定し、ＢＣＰに基づき、役割分担、実施手順、人員の代替え、物資調達方法の確認などを で確認する。

訓練の種類については、175ページを参照

枠内は記入欄になります

黒字はひな型の内容をそのまま使用できる部分、色文字は、各施設・事業所で修正が必要になる部分です

災害が発生したときにBCPで策定したことを速やかに実施できるように研修・訓練をおこないます。実際の災害を想定しく、避難や情報共有などの手順を試してみることで、避難経路の危険箇所の発見や連絡方法の効率化が可能になります

吹き出しでは、作成するうえで意識しておくことなどを補足しています

第3章 感染症BCP

第4章 障害福祉サービスのBCP

装丁　河南 祐介（FANTAGRAPH）
カバー・本文イラスト　桔川シン
DTP　株式会社シンクス

第1章

BCPの基本知識

BCPを作成するうえで大切なこと

すべてのサービスに義務化

令和3年度介護報酬改定において、すべての介護サービス事業者を対象に、業務継続に向けた取り組みの強化が義務化されました。業務継続に向けた計画などの策定、研修や訓練の実施などが必要になります。また、この訓練や研修は定期的に（在宅サービスは年1回以上、施設サービスは年2回以上）開催し、記録しておかなければなりません。

なお、感染症BCPに関する研修は、感染症対策指針の研修と一緒に実施しても問題ないとされています。

BCPは職員第一で作成する

ある医療機関の医師は「BCPを作成するうえで優先順位をつけると、一番が職員、次に組織、最後に利用者」と話されていました。

いくら徹底した感染対策をしても、クラスターが発生した場合、まずは自分自身（職員自身）を守ることを最重要と考えるべきです。職員一人ひとりの安全を確保できてこそ、介護サービスの提供を続けられます。

また、介護サービスは個人プレーではなく、チームプレーでおこなうものです。しっかりと組織としてのマネジメントが機能していなければなりません。職員一人ひとりが安全で健康であり、そのうえで組織がきちんと機能していれば、緊急時でも利用者へのサービスは継続できます。職員が倒れてしまうと何もできません。ましてや、感染症に罹患したり、濃厚接触者に認定されると、数週間動けなくなります。

こういった「職員第一」の考え方は、自然災害BCPにおいても同じです。

利用者個々の対策は盛り込まない

※障害福祉サービスについては第4章を参照

利用者一人ひとりの状況（たとえば、重度者の安否確認の手段や避難方法、備蓄品についてなど）を検討し、BCPの作成を進めているケースを見かけます。これは、ＢＣＰ作成において適切ではない行動といえます。

ＢＣＰは、職員と組織体制の維持のために作成するものです。利用者個々の対策を盛り込んではいけません。

少ない職員でいかに業務を続けるか

たとえば、感染者や濃厚接触者が発生した場合、作成したＢＣＰの想定と大きく違いが生じることも珍しくありません。介護事業所における最大の経営リスクは、職員の多くが濃厚接触者に認定されることです。

濃厚接触者に認定されるとＰＣＲ検査が陰性でも2週間は自宅待機となります。新型コロナウイルス感染症が5類に移行したことで、事業所側に判断が委ねられる場面が増えました。一般的にはウイルスに感染した場合、「4～5日間の自宅待機後、検査結果が陰性だった場合に職場復帰」とすることが多いようです。

しかし、今後新型コロナウイルス以外の新しい感染症が発生する恐れもあり、そういった場合は原則2週間の自宅待機となることが想像できます。そして、出勤可能な職員は通常業務以外にも、何役か業務をこなすことが求められます。定期的な消毒作業や1時間に一度の換気、休職中の職員の業務を分担して担当するなどです。

こういったことは、自然災害でも同様で、事業所が被災すると職員も被災します。被災直後に出勤できる職員は少なくなるでしょう。そのとき、出勤できる職員だけでどのように役割分担して業務を継続するかを、ＢＣＰでは考えておく必要があるのです。

「最悪の状況」を想定する

作成すべきＢＣＰは、自然災害と感染症の2つです。過去に自然災害や感染症を経験したことがある事業所では、経験値がすでにあるためＢＣＰの作成は比較的容易でしょう。

しかし、多くの場合、自然災害の被災経験はないに等しいといえます。幸い、いまは多様な体験談や事例がインターネット上に公開されています。そのような情報を積極的に職員間で共有しましょう。近年は線状降水帯による集中豪雨と洪水被害が、全国各地に大きな被害をもたらしています。令和6年1月に北陸で起こった大地震など、毎年のように全国各地で大きな自然災害が起きています。

感染症については、我々が知る限り最悪な状態は「新型コロナウイルスが発生した初年度」です。未知のウイルスがまん延し、多くの方が犠牲となり、マスクやPPE、手袋が手に入らない状態が続きました。防護策も手探りの状況で、フェイクニュースもまん延しました。あのときの状況を前提に、感染症BCPをつくるのが正解です。

新型コロナウイルス感染症は5類に移行しましたが、BCPは「最悪の状況」を想定してつくるため、5類移行後の状況に合わせてBCPを修正する必要はありません。感染症BCPのひな型は、新型コロナウイルスが発生した当時の対策を記載すれば正解です。内容は新型コロナウイルス対策になりますが、将来現れる未知の新型ウイルスでも応用可能となります。

インターネット上の過去の自然災害・感染症の情報をもとに、「最悪の状況」を想定しながらBCPを作成しましょう。

メンタルやストレスケアも重要

BCPを作成する際、職員のメンタルヘルスについての配慮も重要です。たとえば自然災害の場合、介護職員は、自らが被災者であるとともに救援者でもあります。両方の立場にいることで感じるストレスは計りしれません。

ストレスを放置すると急性ストレス反応からPTSD、うつ状態、アルコール乱用などの状態を招き、組織の疲弊・劣化につながります。

セルフケアの方法について、定期的に研修をおこなうなどの教育的介入（予防）が重要になってきます。

ひな型の様式は自由

厚生労働省からもひな型が提供されていますが、後半になると一気にハードルが上がります。なぜなら、地域との連携や共同訓練などがテーマになるからです。ハードルの高い項目は「後日検討」や「削除」でも問題はありません。本書のひな型と厚生労働省のひな型、どちらを利用しても問題ありません。また、ひな型をすべて埋める必要はないのです。できる範囲で、ザックリとでもよいですから、まずは一通り記入することが重要です。

BCPは永遠に完成しない

BCPの内容は、あくまで頭で考えた対策です。実際に研修や訓練で体験するものとはギャップが大きいことがよくあります。そのため、BCPは研修や訓練後に見直しをおこなう必要があります。

定期的に研修と訓練を実施し、BCPを肉付けして、バージョンアップさせていきます。BCPは永遠に完成しません。BCPの作成が一旦完了した時点がスタート地点です。職員で知恵を出し合い、検討しながら作り込んでいく必要があります。

また、ほかの事業所とBCPを共有して、補完し合うこともよいでしょう。ほかの事業所でのBCP作成経験が豊富な専門家に、アドバイスをもらうことも有益です。「BCPを常にバージョンアップさせる」という意識が大切なのです。

BCP作成で大切な意識

（1）作成したあとは「研修・訓練・見直し」を実施する

在宅サービスは年１回以上
施設サービスは年２回以上

（2）[illegible]

❶ 職員第一の内容にする
❷ 利用者・入所者、個人個人の対策は盛り込まない
❸ 緊急時、職員の数が少ないことを想定する
❹「最悪の状況」を想定する
❺ 職員の身体的・精神的負担を踏まえ、検討する

BCPを作成するサイクル

BCPは全社で作成する

BCPの作成に着手した、という介護施設や事業所は決して少なくありません。同時に、途中で挫折したという話も多く耳にします。その理由として「自分たちの地域では過去に大きな自然災害に遭ったことがなく、危機感がない」が多いようです。

ただ、それはあくまでも表面的な理由で、実は「管理者だけでBCPをつくろうとしている」「一部の幹部職員だけでつくろうとしている」ことが、根本的な原因となっている場合があります。BCPの意味と正しい作成方法を知らないことが最大の原因です。

未作成の場合減算の措置がある

令和6年度介護報酬改定において「BCPが未作成だった場合の基本報酬の減算」が設けられました。そのため、急いで形だけでもBCPをつくっておこうという方も多いでしょう。

しかし、何のためのBCPかをいま一度確認していただければと思います。首都直下や南海トラフなどの大地震が間近に迫り、各地で集中豪雨や土砂災害の報を聞くかと思います。いざというときに役に立たないBCPでは意味がありません。将来高い確率で起きるリスクに対してのマネジメントは、経営者の義務です。来たるべき災害に対して真剣に向き合いましょう。

現場職員も作成に参加しよう

基本的には、法人内にBCP委員会を設けて作成しますが、テーマによっては現場職員から意見を徴収して検討するプロセスも必要です。管理者や部門の責任者は、介護現場の現状について全体像は把握していますが、細部については現場職員に確認しなければわからないことが多々存在します。

また、実際に被災したときに先頭に立って業務を遂行するのは現場職員です。部分的にせよBCPの作成に現場職員を参画させることで、管理者や責任者が押しつける計画ではなくなります。

BCMを理解する

　BCPは、BCM（業務継続マネジメント）のサイクルで作成します。そのため、BCMを理解することで、BCP作成の全体像を理解できるようになります。BCMのプロセスを確認しましょう。

❶事業を理解する

　基本的にBCPは、厚生労働省が用意したひな型をもとに作成を進めていきます。本書のひな型も厚生労働省の様式に準拠していますので、こちらを活用いただいても構いません。項目ごとに、介護施設の現状を確認して、問題点をピックアップしていきましょう。

「事業を理解する」とは、介護施設をアセスメントして分析する作業のことです。感染症や自然災害に被災したとき、被害状況（職員の出勤率など）に応じて、継続する介護サービスを決められるように準備しておきます。また、サービスの継続が最優先であっても、出勤率やライフラインの状況に応じて、提供できる業務と、提供が難しい業務を事前に想定しておきます。

　たとえば「非常食・備蓄品」の項目であれば、現在の備蓄品を棚卸して一覧表を作成し、品目ごとにBCP委員会で検討しましょう。

事前の対策を検討

　ここでは、❶でピックアップした問題点に対しての対策を検討していきます。

　たとえば、「非常食・備蓄品」という項目では、必要な備蓄量の確認と現在の在庫の修正の有無を確認します。不足すると思われる品目は、購入しておきましょう。また、保管場所が適切かどうかも検討します。「重量のある水のペットボトルなどを1階の倉庫に保管していた場合、浸水が起きたときにどうするか」「停電が発生してエレベーターが使えないとき高層階にどうやって移動させるか」などを想像して考え直します。

　❷でまとまった事前対策や被災時の対応策をBCPに書き込んでいきます。ひな型の項目ごとに❶から❸のプロセスを繰り返します。また、BCPを発動する基準を設定して、各職員の役割分担も明確にします。職員の参集基準や地域との連携も検討しましょう。これらをひな型に書き込んでいきます。

　本書では、一般的な文言はすでに記

載済みですので、修正が必要な部分のみに手を加えるとよいです。

❹BCPの文化を定着させる

BCMにおいて、文化の定着の方法として位置づけられているのが、研修と訓練です。いくら優れた計画であっても、いざというときに機能しなければ意味がありません。感染症についても、日頃からゾーニングや衛生管理の方法を研修や訓練で身につけておくことで、クラスターが発生しても、職員が迅速に自らの身を守ることができます。

研修と訓練は、施設サービスは年に2回、在宅サービスは年に1回の実施が義務づけられています。

研修や訓練については、感染症と自然災害はそれぞれ別でおこなう必要があります。ただし、BCPと同じく義務化された感染症対策指針の研修と訓練は、感染症BCPと一緒に実施することが可能です。

BCPの訓練は、被災時などの前提条件をシミュレーションしたうえで実施します。同じテーマの場合は、同日に研修と訓練を実施することが有効です。たとえば、今日は「避難方法」についての研修・訓練をおこなおう、などです。そうすることで、参加する職員は体系的に知識などを身につけることができます。

❺BCPの維持・更新をおこなう

研修と訓練を実施すると、頭のなかで考えていた対策や方法と現実との間にギャップが出てきます。「これはちょっと違う」「もっとよい方法がある」などです。BCPは研修と訓練を終える度に見直しましょう。そして、❶の「事業を理解する」に戻ります。

できなかった部分は次回以降の宿題とする

BCPはいつまでも完成しません。研修や訓練の度に見直して、バージョンアップさせていきます。また、施設・事業所を取り巻くリスクも、時間の経過とともに変わっていきます。

極端な言い方をすると、最初からひな型の項目をすべて埋めることができなくても問題ないのです。そもそも、ひな型は考えられる項目を網羅しているだけです。

記入できるところから作成して、まずは研修と訓練を実施するようにしましょう。

BCP作成・運用のサイクル

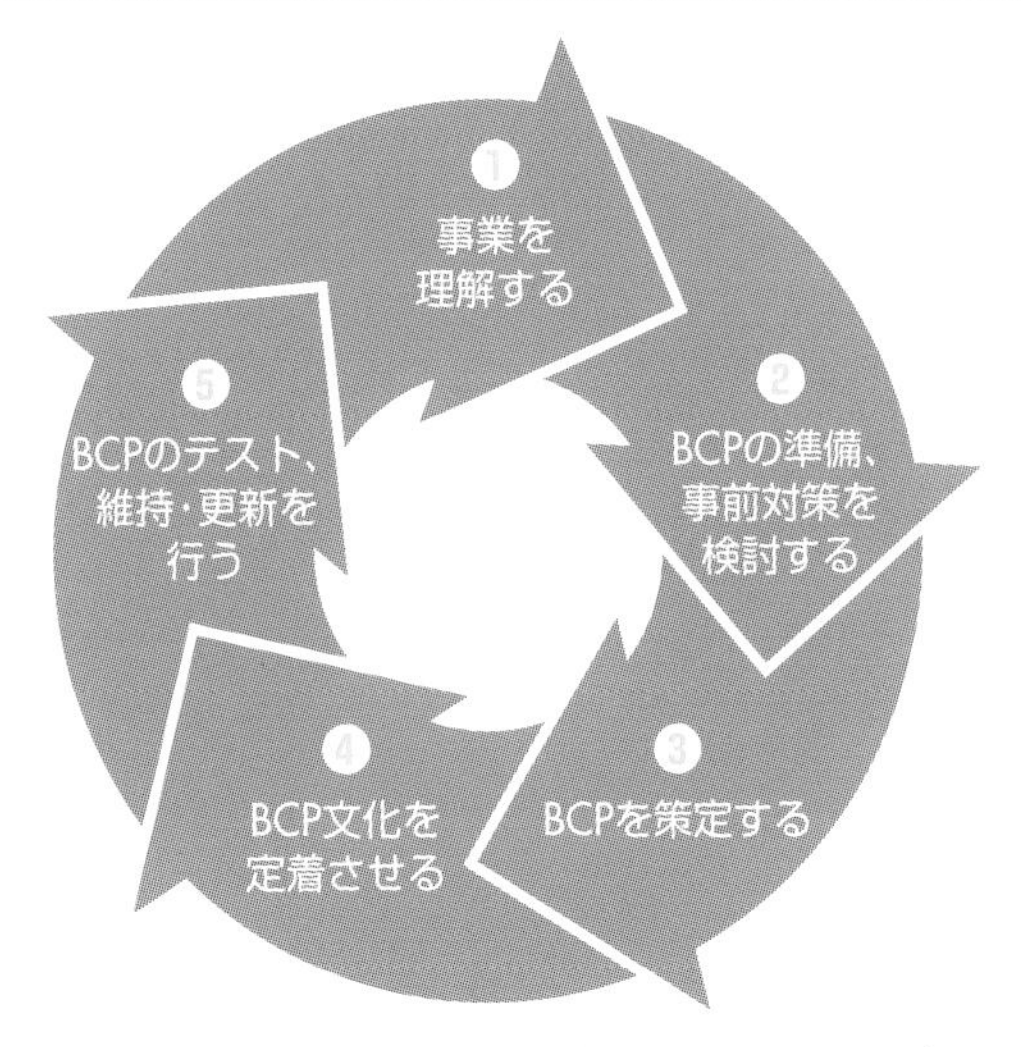

出典：中小企業庁ホームページ「中小企業BCP策定運用指針～緊急事態を生き抜くために～」
（https://www.chusho.meti.go.jp/bcp/contents/level_a/bcpgl_03a.html）

BCPと感染症対策指針それぞれの役割

BCPと指針	役割定義
自然災害BCP	自然災害の発生に備え、業務継続のために必要な平時からの準備内容と災害発生時の対応をまとめた計画書。災害発生時の管理体制をはじめ、早期の事業再開を促すためのもの
感染症BCP	感染症の流行に備え、業務継続のために平時から準備、発生時の対応をまとめた計画書。感染発生時の管理体制をはじめ、感染拡大の防止を促すためのもの
感染症対策指針	感染の予防・再発防止対策および集団感染事例発生時の適切な対応等、施設・事業所における感染対策の体制を確立し、適切かつ安全で、質の高いサービスの提供を図るためのガイドブック

感染症BCPのポイント

感染症対策指針と感染症BCPの違い

感染症対策指針は、感染予防とクラスターの防止が主な目的です。感染症対策指針も令和6年4月から義務化となっています。未作成の場合は、BCPと指針同時並行で作成するのがよいかもしれません。

介護施設などでクラスターが発生したときの最大の経営リスクは、職員の多くが濃厚接触者に認定されることです。濃厚接触者に認定されると、PCR検査が陰性でも2週間は自宅待機を余儀なくされるからです。

将来的に新型コロナウイルスとは全く別のウイルスが発生した場合も、この「2週間」が基準となることを念頭に置いて、感染症BCPを作成しましょう。

感染拡大を防止するために

次の順で重要度が高いことを理解して、基本方針を取りまとめます。

①職員の安全確保
②サービスの継続（組織）
③利用者・入所者（生存者）の安全確保

介護は個人でおこなうものではなく、介護施設や介護事業所が組織的におこなうものです。特に、緊急時はスタンドプレーは厳禁で、定められたルールのもとで介護サービスをおこなうべきです。そして、①②を満たしたうえで、利用者・入所者へ介護サービスを提供しましょう。身勝手な職員の個人プレーで、職員に感染が拡大することは、絶対に避けなければなりません。

BCP策定の進行度

厚生労働省の資料によると、感染症BCPは、「策定完了」が29・3％、「策定中」が54・6％、「未策定（未着手）」が15・6％でした。また、自然災害BCPは、「策定完了」が26・8％、「策定中」が54・9％、「未策定（未着手）」が17・1％でした。まだまだ、策定中が大部分を占めているのが実情といえます。

感染症BCP・自然災害BCPの策定状況

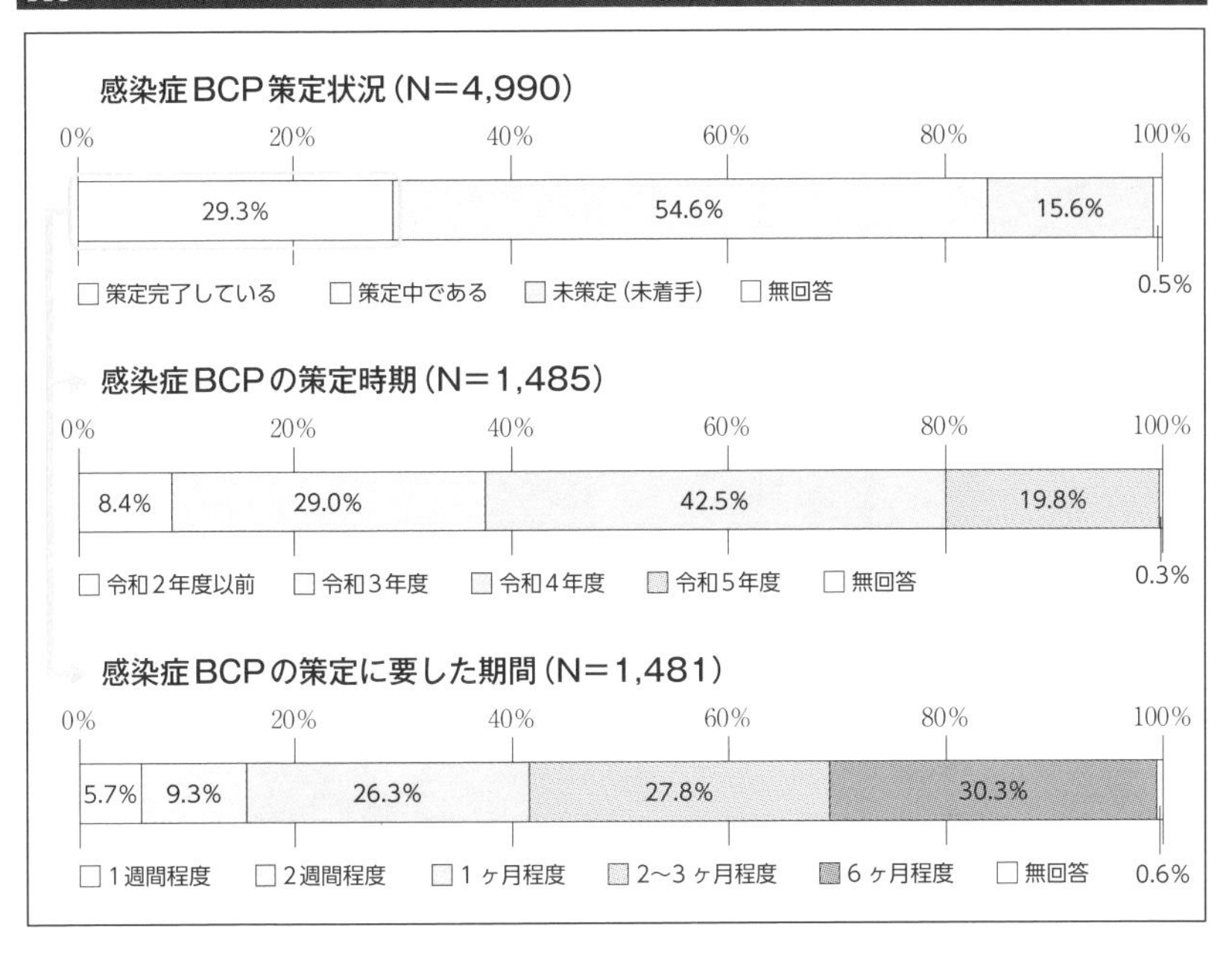

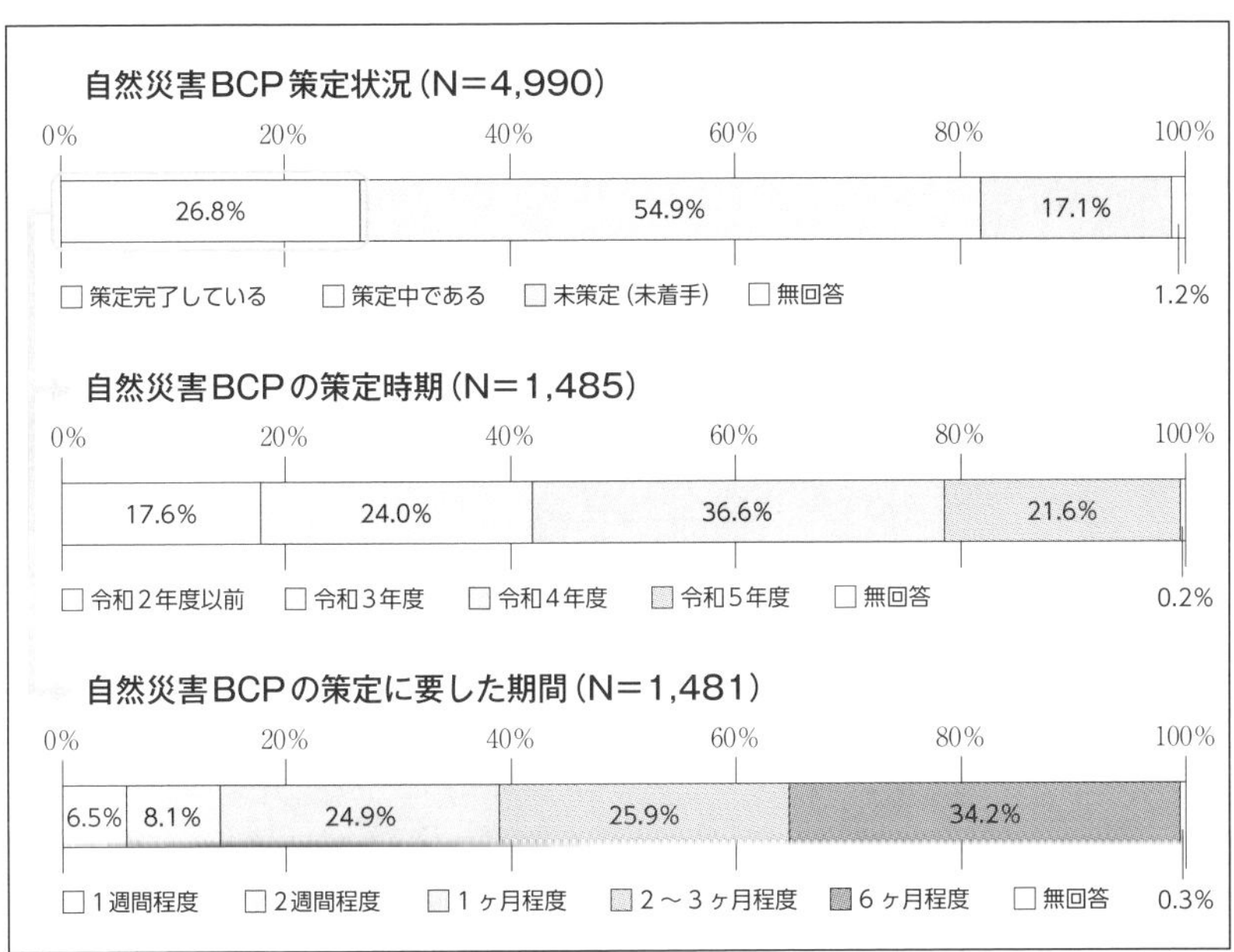

出典：厚生労働省ホームページ『（1）介護サービス事業者における業務継続に向けた取組状況の把握及びICTの活用状況に関する調査研究事業（速報値）』（https://www.mhlw.go.jp/content/12300000/001155170.pdf）

人材不足が深刻な状況でのBCP作成

ICT化で業務の効率化を図る

BCPは「将来起こるリスクへの備え」です。介護保険制度が複雑化し、人材不足が深刻化している今、職員の能力向上と業務改善は急務といえます。これからは、職員2名でやってきた業務を1名でできるようになることが重要です。また、2時間かかる仕事を1時間でできるようになる、といった職員一人ひとりの能力の向上も大切となってきています。

こういったことに対応するためには、ICTの活用も検討しておくとよいです。ICT化は、確実に業務の効率化につながり、業務の改善が期待できます。特に新型コロナウイルスのような感染症によるクラスターが発生した場合は、ICT活用の恩恵を多く受けることになります。自然災害や感染症のBCP作成プロセスを通じて、ICT化を意識して検討してみましょう。業務改善や効率化は、結果的に平時の職員の負担を減らし、ストレスを軽減することにつながります。

職員との情報共有について

介護サービスの提供で多忙ななかで、職員全員が集まって会議や検討をおこなうことは難しいかと思います。また、「連絡先を共有する」ことについても、住所や連絡先といった個人情報を職員間で共有することを拒む職員の方も出てくることでしょう。

BCPを作成するなかで、仕事用携帯のLINEなどを活用して意見交換したり、資料を共有することを始めるとよいでしょう。PCやICTに拒否反応を出す高齢のスタッフにも、導入のメリットや、緊急時への備えの重要性を説明することで、気軽に取り組んでくれるようになると思います。

第2章

ＢＣＰ作成のもとになる基本方針

基本方針の内容

ひな型の［基本方針］では、【施設系サービス】の場合は入所者を、【在宅系サービス】の場合は利用者を選んで記載を進めます。

基本的な方針はひな型に記入していますので、そちらを使用すれば完成します。文章の追加、変更も自由におこなってください。自事業所・自施設で納得ができる基本方針にするのが一番です。

基本方針以降の項目にもつながる

ＢＣＰの作成は、基本方針の記載から始まります。すでに経営方針やクレドなどがあれば、それに基づいて取りまとめるとよいでしょう。

この基本方針に基づいて、ＢＣＰの作成を進めていきますので「何のためにＢＣＰをつくるのか」をＢＣＰ委員会で検討して共有します。その際、次のような視点で考えるようにするとよいです。

- **利用者に対して**
- **職員に対して**
- **地域に対して**
- **取引先に対して**

ＢＣＰ作成で大切なこと

利用者、職員の人命が第一であることはいうまでもありません。また、介護サービスは、地域の高齢者のライフラインとしての役割を担っています。施設の場合は、避難所としての役割を持つこともあるでしょう。

ＢＣＰは、被災時でも可能な限り、早い時期に事業を再開して、倒産・廃業・事業の縮小というリスクを回避するのが最大の目的です。

被災直後は、出勤できる職員も少なく、提供できるサービスも制限されます。被災時において、何のために介護サービスの提供を続けるのか。その理由をしっかりと書き込みましょう。

基本方針

1. 総論

(1) 基本方針

※初期設定 追加、修正可能とする ※

本計画は、災害時に人、物、情報等、利用できる資源に制約がある状況下において、本事業所が果たすべき役割を勘案して、優先的に実施すべき業務を特定するとともに、業務の執行体制や対応手順、業務継続に必要な資源の確保等をあらかじめ定めるものである。

事業継続にあたっては、以下の方針に基づき、実施することとする。

①の安全確保：
は重症化リスクが高く、災害発生時に深刻な被害が生じるおそれがあることに留意して安全の確保に努める。
②サービスの継続：
の生命、身体の安全、健康を守るために最低限必要となる機能を維持する。
③職員の安全確保：
職員の生命を守り、生活の維持に努める。
④地域への協力
地域の災害時要配慮者は原則受け入れる（新型コロナウイルス感染症は除く）
近隣住民、事業所が被災し困難な状況に遭遇している際には、可能な範囲で援助、支援活動を実施することとする。
⑤行政と様々な要請等の連携を実施することとする。
⑥業務継続計画の実効性の確保
平時からの訓練や研修を通して、災害時に不足する資源に対する適切な対応策を検討し、計画の実効性の確保を図る。

利用者・職員の人命が第一であることは
忘れないようにしてください

ＢＣＰ委員会を設置し平時の取り組みを決める

ＢＣＰ委員会のメンバーの決め方

ＢＣＰ委員会のメンバーは、総務などの一部署や、管理者・事務員などの一部の職員だけに偏ることがないように気をつけてください。多部署あるいは多くの職員が関与することで、効果的な取り組みが可能となります。

また「拠点ごとの委員会」と「総括する全体委員会」を設けることも検討しましょう。

ひな型に記載すること

メンバーが決定したら、ひな型の［主な役割］に記載してください。［部署・役職］は、現在の組織の役職名にあたります。各役職の代表者を記載しましょう。

ＢＣＰ委員会の業務を検討する

ＢＣＰ委員会の業務内容では、ＢＣＰ委員会の平時における推進体制を記載します。自然災害の対策は一過性のものではなく、常日頃から継続して取り組む必要があります。

被災後の災害対策体制は「3．緊急時の対応」（68ページ以降）で記載しますので、ここでは次のようなことを記載しておきましょう。

- **平時におこなっておく事前対策**
- **研修・訓練の実施**
- **定期的なＢＣＰの見直しと検討**
- **各種の取り組み**

年に数回参集して見直す

そして、ここに記載されたメンバーで、年に数回の委員会を開催し、ＢＣＰの見直しなどをおこなうようにします。

(2) 推進体制

1．本事業所に「ＢＣＰ委員会」を設置する。

2．委員会は、下記の業務を行う。

①業務継続計画の策定及び職員の研修受講状況の把握並びに業務継続計画の見直し

②業務継続計画に関する職員への研修及び訓練の実施

3．ＢＣＰ委員会のメンバーは以下のとおりとする。

主な役割	部署・役職	氏名	補足
委員長	管理者		
副委員長	相談員		
委員	看護職員		
委員	指導員		
委員	介護職員		
委員			
委員			

地震・洪水などによるリスクを把握する

ハザードマップの入手方法

ハザードマップは、自治体のほか、ひな型に掲載しているようなウェブサイトからも入手できます。BCPの該当欄に貼り付けておきましょう。スクリーンショットを用いて画像化して貼り付けるとよいです。

リスクを把握したら対策に反映する

大きな地震が発生すると、停電、断水、公共交通機関の運休などが起こります。停電、断水が起きると、調理などができません。非常食を用いるため、それらの備蓄状況を確認します。また、断水に備えてペットボトルを備蓄しますが、どこに保管していますか？ 1階の倉庫が多いと思います。停電の場合、エレベーターが使えなくなります。出勤者が少ないなかで、2リットルのペットボトルを数本抱えて、階段で何往復もするのは現実的ではありません。職員全員で考えて対策を検討します。同様に、断水の場合は、入浴ができなくなるため清拭で対応することになります。

避難場所を検討する際もハザードマップを確認する

そして避難所はどこかも確認しましょう。たとえば、避難所までの道路が坂道や砂利道であった場合、車椅子の移動は転倒やコントロールが利かないなどのリスクがあります。状況によっては、施設や事業所に留まることも考えます。

また、地震による地割れや土砂崩れで道路に分断のリスクがある場合、送迎などの対応も検討します。

(3) リスクの把握

① ハザードマップなどの確認

「ハザードマップポータルサイト」や「地震ハザードステーション J-SHIS」などにアクセスし、住所を入力して、自事業所のハザードマップを表示し、スクリーンショットを以下に貼り付けてください。

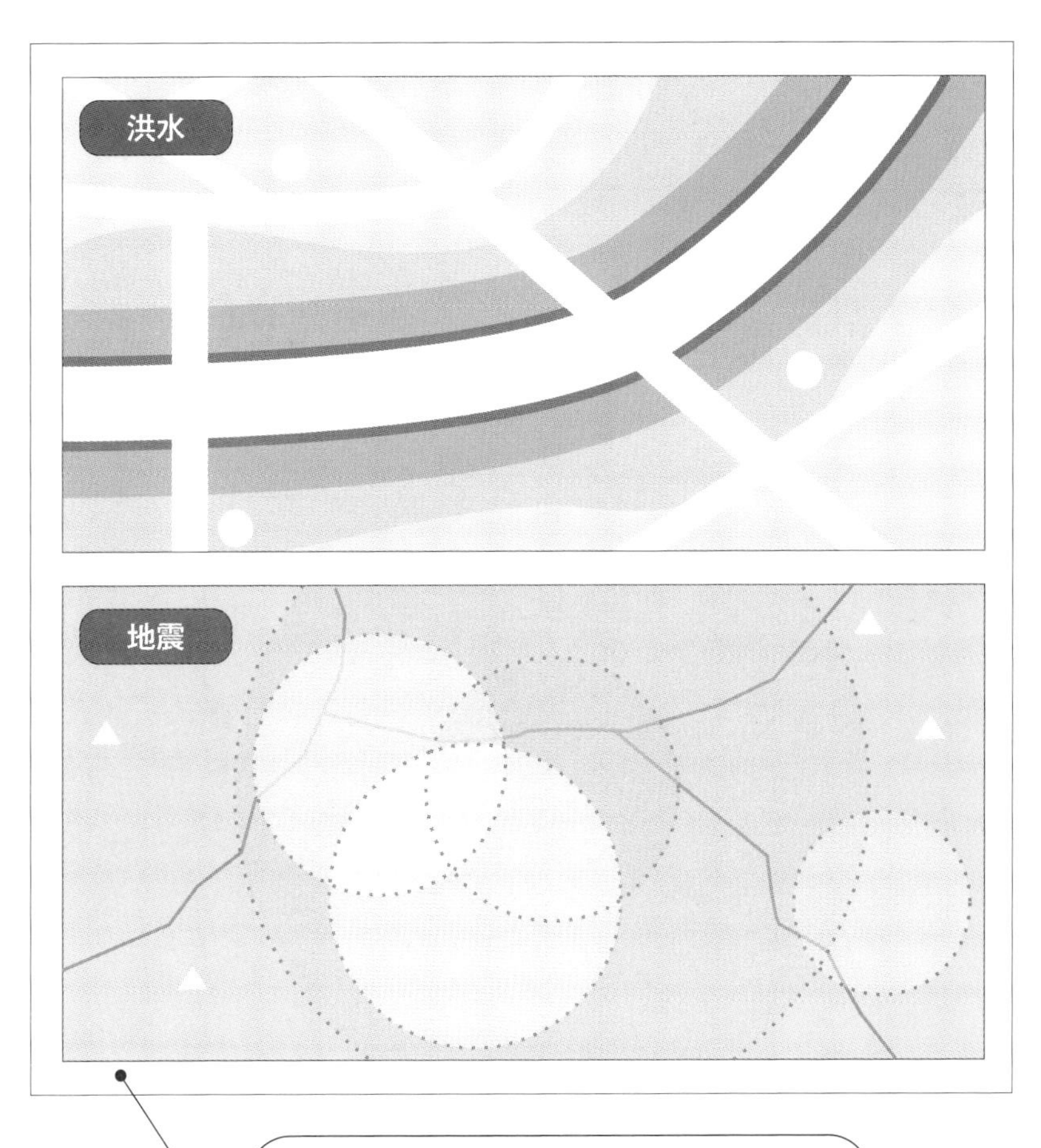

ハザードマップの下に、マップを入手した先（URL）などを記載しておくと、最新情報をチェックする際に便利

被害が続く期間を検討する

記載する内容

［被災想定］では、厚生労働省のガイドラインによると「自治体のホームページから転記すること」となっています。しかし、多くの自治体のホームページでは、被災想定について触れられていません。

そのため、本書のひな型では汎用の想定を記載してあります。「or」で2つの選択肢を掲げているので、たとえば「3週間（震度7）or 7日（震度6程度）」のどちらかを選び、片方を削除するなどして活用してください。

被災想定から対策を考える

鉄筋コンクリートの建物であっても、震度5で壁や柱などにひび割れや亀裂が入ります。古い建物だと壁が割れて落下したり、塀が倒壊したりするリスクがあります。そのため、定期的な検査や補強が必要です。

また、地震などで避難経路のガラスが割れて廊下に飛散することもあり、被災直後は靴などを履いていない場合もあります。裸足で割れたガラスの上を歩くなどは、想像もしたくないと思います。少なくとも避難経路の窓ガラスには、フィルムを貼るなどの対策を検討しましょう。

地震によって家財が移動したり倒れたりして、ドアの開閉に支障が出ることも想定できます。パソコンが机から落下して破損することもあるでしょう。

家財などは可能な限り固定するようにしましょう。このようなことを事前に検討して準備するのが平時の対応です。

リスクの把握②自治体公表の被災想定

② 被災想定

国土交通省ウェブサイト「防災ポータル」

https://www.mlit.go.jp/river/bousai/olympic/prepare01/index.html

【自治体公表の被災想定】

ひな型には汎用の想定を2パターン記載しているため、どちらかを選ぶなどする

＜交通被害＞

道路：3～7日で仮復旧（う回路が利用できる想定）

　　or 1～2日で仮復旧（う回路が利用できる想定）

橋梁：う回路を含め、3～7日で仮復旧

　　or う回路を含め、1～2日で仮復旧

鉄道：1か月 or 2週間

＜ライフライン＞

上水：3週間（震度7） or 7日（震度6程度）

下水：3週間（震度7） or 7日（震度6程度）

電気：1週間（震度7） or 3日（震度6程度）

ガス：5週間（都市ガス）（震度7） or 3週間（震度6程度）

通信：1週間（津波の被害がない想定）（震度7） or 3日（震度6程度）

※参考※

東日本大震災の経験値として震度7の地域の復旧日数は、下記の通り。

震度7の場合、電力：1週間、水道：3週間、ガス：5週間でほぼ復旧

（リスクを考慮した日数）

震度7の場合、電力：3日 、水道：1週間、ガス：3週間で50%復旧

震度6の場合、震度7の50%復旧を、復旧の目安と想定する

地域の状況を踏まえ自施設への被害を想定

「最悪の場合」を想定する

災害によるリスクはさまざまですが、地域的なリスクや予想される被害の度合いは、ハザードマップを確認することである程度限定できます。また、過去に災害が発生した記録があるのであれば、それを確認することで、より具体的な被害と事前対策を考えることができます。

注意すべき点は、ハザードマップ上のリスクが低くてもゼロでない限りは考えられる限りの準備をすべきだということです。BCPでは、平時に一番最悪な被害を想定し、常日頃から事前準備をおこないます。それによって、比較的小規模な災害が起きたときも、事前に想定した準備が機能して、落ち着いて対処ができるようになります。

また、地域と連携して防災訓練などをおこなうことで、地域ぐるみでの防災対策が可能となります。

被害想定などは時系列で並べて確認

まずは、ハザードマップや自治体、電力会社、水道局などで公開されている情報をもとに「想定されるリスク」と「影響を受ける期間」を時系列で整理してみましょう。

地域によって被害想定は異なる

このひな型では、基本的な被害想定を事前に組み込んであります。「停電の場合復旧まで3日」「断水の場合復旧まで1週間」などです。しかし、令和6年1月に発生した能登地震では1か月経っても断水から復旧しない地域がありました。

また、令和5年の台風6号では、沖縄の一部の地域で1週間程度の停電が発生しています。

このように、地域によって被害される規模は異なるため、地域の状況を勘案して、適宜内容を修正してください。

リスクの把握②自施設で想定される影響

【自施設で想定される影響】

	当日	2日目	3日目	4日目	5日目	6日目	7日目	8日目	9日目
電力				復旧					
エレベーター				復旧					
飲料水							復旧		
生活用水							復旧		
ガス							復旧		
携帯電話				復旧					
メール				復旧					
PC				復旧					
道路				部分復旧					

ひな型には、基本的な
「復旧までの日数」を記載していますが、
ハザードマップや自治体などの情報を
参考に作成しましょう

被災時に優先して提供するサービスを決める

被災後に優先して提供するサービス

いくつか併設するサービスがある場合、被災直後の出勤できる職員が限られた状況では、すべてのサービスを提供することができません。職員の出勤率が戻るまでは一部のサービスを停止して、提供を継続すべきサービスに職員を集中させることが重要です。

本項目では、被災直後に優先して継続するサービスと、当面は休業するサービスを決めておきます。

優先業務とは？

多くの介護施設は、介護サービス、障害福祉サービス、保険外サービス、高齢者向け住宅など、さまざまな事業をおこなっています。

優先事業は「中核事業」ともいい、数ある事業のなかで法人の存続に関わる最も重要性の高い事業のことです。数ある事業のなかで一部の事業以外のサービスの提供を当面「保留」として、優先事業に集中することを、ＢＣＰに明記します。

優先事業の考え方

被災時には、人、もの、金、情報といった経営資源に制約が出てきます。このようななかで事業を存続させるためには、優先事業に集中する必要があります。

「どの事業（入所、通所、訪問など）を優先するか」「どの事業を縮小・休止するか」を法人本部とも連携して決めておきましょう。ただし、単一事業のみを運営している場合には、この項目は割愛します。

優先事業の選定では、収入面だけではなく、利用者や地域への影響も考慮して選定することが必要です。その事業をストップした場合、地域の利用者にどのようなデメリットが出るかなどです。そして、自法人にとって柱となる事業は何かを明確にしておきましょう。そのためには、経営者自身がＢＣＰの考え方を正しく理解することが大前提です。

(4) 優先業務の選定

① 優先する事業

※併設する介護サービスが無ければ、記載の必要なし
併設サービスがある場合、継続するサービスと、一時的に休業して、スタッフを継続サービスにシフトするサービスを選択して記入する。継続するサービスが入所系の場合は、例文を選択する。※文例は、最後のページに記載

<優先する事業>
(1) 入所サービス
(2) 訪問サービス(服薬、食事、体位変換)
(3)

<当座停止する事業>
(1) 通所サービス
(2) 訪問サービス(入浴、生活援助)
(3)

地域の利用者へのメリット・デメリットを踏まえ検討

提供している事業(サービス)のなかで、法人の存続に関わる最も重要性の高い事業

単一事業のみを運営している場合は、本項目は割愛しても問題ありません

継続・休止・削除・追加業務を選別する

業務は4つに分けられる

被災後、職員の出勤率に合わせて、次のように業務を選別します。

- **A…提供する介護サービス（継続業務）**
- **B…被災したときにのみおこなう必要がある業務（追加業務）**
- **C…縮小して提供する介護サービス（削除業務）**
- **D…当面休止する介護サービス（休止業務）**

ここは、ひな型に記載されている内容のまま進め、後日見直しするかたちでも構いません。

優先業務の考え方

限られた資源で、いかに介護サービス業務を提供するかを検討しなければなりません。平時では軽度者にもある程度提供していたサービスでも、被災時には、より必要とされる入所者に限定することも想定する必要があります。平時にサービスを提供する場合に必要な職員人数を確認して、出勤率が低い状態ではどのように提供するのか検討します。

たとえば、食事介助は当面は必要な方だけとし、入浴介助は清拭で対応します。口腔ケアは当面中止として、自衛隊の給水車が入った段階で、うがいから再開します。排泄介助については、当面は全入所者を紙おむつに切り替えます。職員が少ない場合は、このようにサービスを提供していきます。

介護サービスの役割を意識

【在宅サービス】も同様で、提供できる業務と、当面は休止する業務を事前に決めておきます。優先業務の洗い出しとともに、最低限必要な人数についても事前に検討しておくと有用です。

たとえ被災時であっても、利用者の生命を維持するための業務は休止できないことに留意しましょう。

優先業務の選定②

② 優先する業務

分類名称	定義	業務例	出勤率			
			30% (発災後6時間)	50% (発災後3日)	70% (発災後7日)	90% (21日)
業務の基本方針			生命・安全を守るために必要最低限のサービスを提供 徒歩で出勤可能者で対応 発災後数日、職員は施設泊	食事、排泄を中心 その他は休止または減 電気復旧(※)、道路仮復旧、被災者出勤不可	一部休止するがほぼ通常通り 応援者の支援あり	ほぼ通常通り 水道復旧、ガスはLPの想定
A：継続業務	・優先的に継続する業務 ・通常と同様に継続すべき業務	食事、 排泄、 医療的ケア、 清拭　等	[illegible]	[illegible]	[illegible]	[illegible]
B：追加業務	・災害復旧、事業継続の観点から新たに発生する業務	【インフラ対策】 電気用燃料確保、発電機の点検 飲料水、生活用水の確保 ガスの調達 その他物資の調達。修理の依頼 【人員対策】 出勤者の確保、シフト調整 応援者の手配、教育 委託業務の提供中止に対する対応	[illegible]	[illegible]	[illegible]	[illegible]
C：削減業務	・規模、頻度を減らすことが可能な業務	入浴、 機能訓練 口腔ケア 洗顔 洗濯 掃除　等	[illegible]	[illegible]	[illegible]	[illegible]
[illegible]	上記以外の	[illegible]	[illegible]	[illegible]	以下の縮小	[illegible]

研修と訓練で共通意識を持てるようになる

実施頻度をチェック

【施設サービス】【在宅サービス】ともに研修は年1回以上、さらに新入職員への研修が義務づけられています。訓練は、【施設サービス】は年2回、【在宅サービス】は年1回以上実施しなければなりません。研修と訓練は、消火・避難訓練とは別日におこないます。

研修…外部講師の採用も検討

研修については、外部講師を設けることも推奨されています。もし、すぐに研修をおこなうことが難しい場合は「要検討」などと記入しておきましょう。

また、eラーニングの受講も有効です。簡単におこなうことができ、いままで気づけなかった、客観的視点からの問題点などが見つかることもあります。

訓練…実施時期は夏や冬がおすすめ

訓練をおこなう時期は各事業所で決めてよいですが、「台風による洪水が多い夏場」「暖房確保や大雪の影響がある冬場」などの、対策がより必要となりうる時期におこなうことをおすすめします。

介護サービスを毎日提供している場合は?

介護サービスを毎日提供している事業所では、研修・訓練を一度に全職員がおこなうことは困難です。そのため数回に分けておこない情報をまとめるか、一部の職員でおこなった研修・訓練の様子を録画して動画などにまとめておきましょう。

参加できない職員への対応

参加できない職員への対応も考えておくことが大切です。訓練は【施設サービス】だと年2回おこないますので、どちらかには参加できるよう日程を調整してください。

（5） 研修・訓練の実施、ＢＣＰの検証・見直し

① 研修・訓練の実施

本計画における「緊急時の対応」に基づき、研修及び訓練を実施することとする。

施設は年2回行う消火・避難訓練とは別日に本計画の内容についての研修を実施する
（春・秋）
在宅は年1回以上実施する

●以下の教育を実施する。
（1）入職時研修
- 時期：入職時
- 担当：施設長
- 方法：ＢＣＰの概念や必要性、感染症に関する情報を説明する。

（2）ＢＣＰ研修（全員を対象）
- 時期：毎年４月
- 担当：[illegible]
- 方法：ＢＣＰの概念や必要性、感染症に関する情報を共有する。

（3）外部ＢＣＰ研修（全員を対象）
- 時期：毎年６月
- 担当：外部講師
- 方法：外部のｅラーニングを受講する。

訓練の種類については、175ページを参照

●以下の訓練(シミュレーション)を実施する。
- 時期：[illegible]
- 担当：[illegible]
- 方法：感染者の発生を想定し、ＢＣＰに基づき、役割分担、実施手順、人員の代替え、物資調達方法の確認などを[illegible]で確認する。

災害が発生したときにBCPで
策定したことを速やかに実施できるように
研修・訓練をおこないます。実際の災害を想定して、
避難や情報共有などの手順を試してみることで、
避難経路の危険箇所の発見や連絡方法の効率化が
可能になります

訓練後は最新情報も確認

訓練後の動き

訓練を終えた後、あまり期間を空けずにBCPの見直しをしましょう。訓練で発見した課題や提案について、各委員が拠点や部署の職員に聞き、情報を集めます。その際、アンケートや意見箱などをあらかじめ準備しておくとよいでしょう。個人情報保護のために匿名を希望する職員がいる可能性もあるので、工夫しておこなってください。

BCPには何を反映すればいい？

BCP作成の際に想定した内容で訓練を実施すると、想定していたことと異なったり、違和感が出てきたりします。そういった際には、その原因をBCP委員会で検討し、修正しましょう。

そのほか、被災想定で活用したハザードマップが改定されることもあります。BCP見直しとともに、変更がないか確認しておきましょう。

変更点などは全職員へすぐに共有

BCPに関する最新動向などを考慮し、BCPを見直し・修正したのち、全職員へ修正点と次回の研修・訓練の内容を迅速に共有しましょう。情報の共有手順などをあらかじめ決めておくと、共有漏れがなくなるでしょう。こういった対策は、実際に緊急事態が発生した場合の対応に直結しますので、情報を共有する人の代行者なども決定し、共有と理解の徹底をおこないましょう。

「研修・訓練・見直し」を続ける

BCPが完成することはありません。「研修・訓練・見直し」を繰り返しおこなうことでよりよいものにしていきます。このサイクルをBCM（業務継続マネジメント）といいます。業務継続は職員だけでなくその家族や利用者の生活・生存に関わる大事なことですので、しっかり取り組みましょう。

研修・訓練の実施、BCPの検証・見直し②

② ＢＣＰの検証・見直し

・毎年実施する研修及び訓練の度に参加者にアンケートなどを実施して課題、反省点等を洗い出し、災害対策検討委員会において協議し、必要に応じて本計画を見直すこととする。
・計画を見直した場合は、速やかに従業員に周知し、その後の研修や訓練に反映することとする。ＢＣＰのサイクルをまわしていく。

●以下の活動を定期的に行い、ＢＣＰを見直す。

にBCP委員会で研修・訓練結果を検証する。
- ・ＢＣＰに関連した最新の動向を把握し、ＢＣＰを見直す。
- ・教育を通じて得た疑問点や改善すべき点についてＢＣＰを見直す。
- ・訓練の実施により判明した新たな課題と、その解決策をＢＣＰに反映させる。

「全職員にどのように周知するか」も事前に決めておくと安心

ハザードマップが改定されていないかきちんと確認しておく

ＢＣＰを見直した後は、変更点と次回の研修・訓練の内容を全職員に共有しましょう

地震で崩壊する恐れのある箇所には安全対策を

耐震補強が必要な建物って?

昭和56年以前に建てられた、築40年以上の建物については耐震補強が必要となります。自事業所の築年数を確認しておきましょう。

築年数が新しくても、木造と鉄筋コンクリートでは強度が異なります。ブロックやタイル、屋根瓦は落下のリスクが高いです。また、看板なども注意が必要ですので補強の検討をしてください。

モルタルの壁は、古くなると部分的に浮き上がることがありますので、定期的に専門業者に検査を依頼してもよいでしょう。

塀なども強い地震のときは倒壊するリスクがあり、事前の補強などが求められることがあります。塀の高さを計測し、倒壊に備えて対策しましょう。

過去に増築したことがある場合も要注意!

事業所によっては、古い建物を増築していることがあります。増築部分の耐震性は問題ないが、古い部分の耐震性が低い場合、増築部分も倒壊してしまう恐れがあります。業者に確認し、耐震構造の確認を改めておこなう必要があるか検討しましょう。自治体によっては補強の補助金が出る場合もありますので、そちらも併せて確認しておくとよいと思います。

危険な箇所を検討したらBCPへ記入

BCPへの記入例として［場所］欄には事業所、施設そのものを記載します。別館などがある場合は別で記入してください。

［対応策］欄には「耐震構造の検査を依頼」や「耐震壁の設置」「屋根の軽量化」「耐震金具の設置」などを記入します。

［備考］欄には、確認しやすいように「築年数」や「何階建てなのか」「木造／鉄筋コンクリート」などを記載しておきましょう。それ以外で、近年に建てられた建物の場合は「耐震構造での問題はない」とだけ記載しておきます。

2．平常時の対応

（1） 建物・設備の安全対策

① 人が常駐する場所の耐震措置

場所	対応策	備考

施設内の「設備の転倒・破損リスク」を減らす

日々の整理整頓が重要

居室や共有スペース、事務所など、職員や利用者が使用する場所では、設備・什器類の転倒・落下・破損防止措置をおこないます。ロッカーなどの上に不安定に物品を積み上げていると、大きな揺れがあった場合落下する恐れがあります。日頃から整理整頓をおこなうように心がけましょう。また、定期的な点検も有効です。

被災時靴を履いていない可能性も

ガラスが破損して飛散する可能性がある場所については、重点的に対策を検討します。

ガラス天井やシャンデリアなどは、割れたり落下したりするリスクがあります。また、窓ガラスなども大きな揺れが起きたとき、割れて飛散することが想定されます。

被災時には靴などを履いている保証がないため、裸足の状態で廊下を歩くことがあるかもしれません。そのため、避難経路に面した窓ガラスには、飛散防止フィルムなどの措置を講じましょう。

導線を意識して対策をしよう

ドア付近にタンスや棚があると、転倒したときにドアが開かなくなってしまう可能性があるので、タンスや棚の位置変更を検討します。特に食器棚はガラス扉の場合があるので、飛散防止フィルムと開閉防止器具などを使用した対策も必要です。

最近の加湿器や空気清浄機にはキャスター付きなものも多くなっていますが、これは大きな地震の際は凶器になりえます。そのため、滑り止めの対策をしましょう。併せて、消火器などの設備点検及び収納場所の確認もおこなってください。

すべての対策を一斉におこなうのは時間も費用もかかるので、優先度の高い場所から対応し、［備考］欄に「検討中」や「対策時期」を記載しておきましょう。

建物・設備の安全対策②

② 設備の耐震措置

対象	対応策	備考
窓	[illegible]・出入口のガラス飛散防止フィルムの貼付け	
[illegible]	キャビネット上部転倒防止の[illegible]を検討する	
食器棚	壁を補強して転倒防止のため[illegible]で固定する [illegible]	[illegible] 2020年[illegible]
[illegible]	壁や床に固定する	
[illegible]	床に固定する	
家具	家具の壁に固定する	
パソコン本体	机に固定する 重要なデータは、バックアップをとり、保存する	
ディスプレイ	机に固定する	
LPガス	LPガスボンベの固定を確認	
灯油タンク	地面への固定アンカー[illegible] [illegible] [illegible]	

被災時は裸足で移動することも想定されるので、そういったことも踏まえて検討

・点検の優先順位
・点検、対策の進捗
・対策時期
などを記載

施設内と施設外の水害対策

職員の通勤経路なども確認する

台風やゲリラ豪雨、線状降水帯などにより洪水が発生した場合、建物や道路が浸水してしまうことがあります。また、こういった事態は、職員の通勤や利用者宅への訪問にも影響が出る可能性があります。

ハザードマップで自事業所や職員の通勤経路の被災想定を確認し、浸水の深さや浸水継続時間に応じた対応策を検討しましょう。

施設周りの対策

施設周辺では大雨などが発生した際に側溝や排水溝が詰まってしまうと、洪水や浸水の原因となります。そのため「月に1回程度の掃除」をおすすめします。

施設の入口に段差がなく、浸水が想定される場合、土嚢などを設置する必要があります。土嚢は消防署で配布しているので、最寄りの消防署に確認しておくとよいでしょう。

施設内への対策

施設内では、排水溝からの逆流が想定されます。水回りの逆流防止対策にも、土嚢や水嚢の設置が有効です。そのほか、ビニール袋を二重、三重にしてそこに水を溜め、排水溝の上に設置することも対策のひとつです。

また、洪水時にトイレを決して流してはいけないことも、全職員に周知しましょう。下水が逆流してしまう可能性があります。

電子機器の扱いにも注意

パソコンなどの電子機器は水没による故障が想定されるため、定期的なバックアップやクラウドサービスを利用しましょう。重要な書類の保管場所や持ち出し、それらをおこなう担当者などもあらかじめ決めておきましょう。

建物・設備の安全対策③

③ 水害対策

対象	対応策	備考
施設周辺	側溝や排水溝の掃除	
逆流防止	風呂・トイレ等の排水溝からの逆流防止	

施設内・施設外両方の対策を記載する

被害の大きさによっては、
避難や移動に危険が伴うことがあるので、
垂直避難も検討しておきましょう

代替となる電源を確保し冷暖房対策をおこなう

代替となる電源を確保しよう

介護度の高い利用者がいる施設の場合、医療機器である喀痰吸引器（かくたんきゅういんき）や人工呼吸器などを使用停止することはできません。そのため、自家発電機や蓄電池を備蓄しておく必要があります。その際、冷蔵が必要な医薬品の有無なども確認しておきましょう。また、それらの利用可能時間と機器の数を把握しておきましょう。

パソコンや携帯電話などの電子機器も災害情報の収集や共有のために必要となります。充電の代替として、自動車のバッテリーや電気自動車の電源活用などがありますので、自動車のシガレット変換器などを用意しておくとよいでしょう。

同時に、必要になる電子機器の数、各電子機器の利用可能時間なども把握しておきましょう。

冷暖房対策も忘れずに

冷房対策として、保冷剤などは有効時間に限りがあるので「うちわ」や「扇子」「水で冷える冷感タオル」などを備蓄しておくとよいでしょう。

暖房対策としては、電源を極力使用しないように「使い捨てカイロ」や「毛布」を利用者や職員の数より多めに備蓄しておきましょう。

代替策に関する情報収集

ランタンや懐中電灯などは太陽光での充電ができるものもありますが、乾電池を備蓄しておくとよいです。単〇電池が何本必要なのか把握しておきましょう。乾電池を利用したモバイルバッテリーなどもあるので「代替として活用できるものは何があるのか」あらかじめ情報収集するとより対策しやすくなると思います。

電気が止まった場合の対策

（2） 電気が止まった場合の対策

被災時に稼動させるべき設備と自家発電機もしくは代替策を記載する。

稼働させるべき設備	自家発電機もしくは代替策
[illegible]	[illegible]
[illegible]	[illegible]
[illegible]	[illegible]
[illegible]	[illegible]
[illegible]	[illegible]

利用可能時間や機器の数も把握しておく

●暑さ対策の例
・うちわ
・扇子
・冷感タオル

●寒さ対策の例
・使い捨てカイロ
・毛布

自然災害が発生すると高確率で停電が起きます。
被害によっては最大１週間ほど停電が続きます。
ハザードマップを確認し被害想定を把握したうえで、
しっかりとした対策をしましょう

非常食の備蓄やLPガスへの変更を検討

被災後の調理方法を検討

大きな地震が発生した場合、都市ガスは停止し、復旧まで1か月以上かかってしまうこともあります。

調理器具については、カセットコンロやガスボンベを備蓄しておくとよいです。カセットコンロに関しては、使用できる鍋やフライパンの大きさに制限があるので、それらを踏まえて検討しましょう。

LPガスを使用している場合は、五徳コンロの活用も有効です。五徳コンロは、ガス業者によっては貸し出ししているところもあるので、あらかじめ確認しておきましょう。

非常食の選び方

食料にはガスのいらない、水だけで食べられる非常食も備蓄しておきましょう。インスタントラーメンなどは通常の3～5倍の時間を使えば水で戻せるので、非常食として活用することができます。職員で一度、非常食を試食する機会を設け、味なども確認しておくとよいでしょう。

利用者と職員の数、非常食の賞味期限を加味して、定期的に非常食の入れ替え（65ページ）をおこなうようにしましょう。

入浴ができなくなったときは？

ガスが止まると給湯設備は使用できなくなるため、入浴は停止し、清拭で対応しましょう。災害の大きさによって、復旧までの期間が異なるので、清拭の頻度や優先度を利用者ごとに検討するとともに、清拭に必要な備品の数も確認しておきましょう。

そのほかの代替策として、都市ガスを利用している施設は、LPガスへの変更を検討してもよいです。

（3） ガスが止まった場合の対策

被災時に稼動させるべき設備と代替策を記載する。

稼働させるべき設備	代替策
調理器具	カセットコンロ、ホットプレート、LPガスボンベ式五徳コンロを備蓄する ガス業者等からのレンタルの可否の確認
給湯設備	入浴は中止し、清拭
その他、代替の熱源を考える	都市ガスをLPガスに替える

・「清拭の頻度」「優先度」を利用者ごとに検討
・清拭に必要な「備品の数」を確認

ガス・水がいらない非常食や、水だけで食べられる非常食なども準備しておく

日本は地震大国なので、
災害想定を把握し、稼働させるべき設備の
優先度を決め、代替策を
検討しましょう

「飲料水」と「生活用水」に分けて対策をする

人数分の飲料水を備蓄する

飲料水は、1人1日最低2リットル必要といわれています。ハザードマップで確認した「被災想定」に応じて、2リットルペットボトルを日数×人数（利用者と職員）分確保しましょう。

食事のために使用する水は、アルファ米などを使用する場合に必要となります。

口腔ケアに使用する飲料水については、被災後に提供するサービス（38ページ）を検討し「復旧するまではうがい程度で済ませる」などで対応しましょう。

被災時に飲料水を確保・削減する方法

被災した際に飲料水を確保するための対策として、近隣の給水場を確認してポリタンクなどを用意しておきましょう。また、小売店と協定して提供してもらう方法もあります。自衛隊の給水車は数に限りがあるため、被害の大きな場所が優先されるようになっており注意が必要です。

削減策としては、流動食などを備蓄したり、離乳食などの代替品を用意したりしましょう。保管場所は、各階の倉庫、またはあらかじめ居室に配布するなど施設によって検討してみてください。

被災時に生活用水を確保・削減する方法

生活用水は、入浴やトイレ、清掃などに必要となります。確保策としては「バスタブに貯水する」「井戸水を利用する」「貯水タンクからホースで給水する」などがあります。

削減策としては、利用者の入浴を停止し清拭に変更したり、簡易トイレやポータブルトイレを用意するなどがあります。清掃などは復旧まで必要最低限、または停止します。食事で使用する食器は紙皿や紙コップに変更しましょう。紙皿の上にサランラップを敷くことで、再利用できるようになります。

水道が止まった場合の対策

（4） 水道が止まった場合の対策

被災時に必要となる飲料水および生活用水の確保を記載する。

「①飲料水」
「②生活用水」
それぞれで、確保策と
削減策を検討します。
保管場所も記載して
おきましょう

① 飲料水

●対応策（確保策）

●対応策（削減策）

●飲料水用のペットボトルなどの保管方法を検討する。

＊備蓄の場合は、備蓄の基準（2リットルペットボトル〇本（〇日分×〇人分）などを記載）

② 生活用水

●対応策（確保策）

[illegible]
衛生面を考慮しつつ、地下水（井戸水）の利用を検討する

●対応策（削減策） 生活用水の多くは「トイレ」「食事」「入浴」で利用

「トイレ」では、簡易トイレやオムツの使用
「食事」では、紙皿・紙コップの使用
「入浴」では、清拭で対応

被災時に連絡をとる方法を複数考えておく

回線のパンクを想定した対策

大規模な自然災害が発生した場合、大勢の人たちが一斉に電話などを利用するため、回線が一時的にパンクし利用しづらくなります。被災時に職員や利用者、家族、関係機関と連絡をとるためにも、通信手段の確保を複数検討しておきましょう。

被災地にいる人たちの間で連絡が集中することで、電話がつながりにくくなることが想定されます。遠方の交流がある施設などと被災時に連絡を取れるようにしておきましょう（三角連絡報）。そうすることで、遠方の施設を中継地点として、情報や伝言を共有できます。

安否確認の方法

「災害用伝言ダイヤル」は、「171」から手順を踏むことで、メッセージの録音・再生をすることができるシステムです。回線がパンクする心配がないので、安否確認のひとつの手段として有効です。

インターネット回線がつながらない場合には、災害時Wi-Fiである「00000JAPAN」を利用できることもありますので、覚えておくと便利です。

ネットがつながるときは

そのほかの通信手段として、インターネットが利用できるのであれば、SNSの活用も検討します。事業所のアカウントがあるLINEやFacebookなどを被災時にうまく活用するために、可能であれば職員の個人アカウント（仕事用）と連携させておくとよいでしょう。

衛星電話やMCA無線などは使用が特殊であったり、制限が設けられていたりするので、より使用しやすい通信手段を記載しておきましょう。

また、地方の消防団などがある場合は、そこに設置されている無線装置の利用も検討すべきです。緊急時の連絡網を作成する際には、職員の可否を確認したうえで活用してください。

手書きで連絡・書類作成をおこなう必要が出てくることも

もしも、通信機器を利用して連絡をとることができない場合には、手書きなどで情報共有、書類作成をせざるをえなくなります。東日本大地震の被災地では、建物の外壁や体育館の壁などに直接書き込んだという事例がありました。このような状況になった場合、太字や目立つ色のマーカーペンなどが有効になりますので、そういったものも準備しておくとよいでしょう。

　また、このような状況では書類作成も可能な限り手書きでおこなうことになります。

》》》通信が麻痺した場合の対策《《《

（5） 通信が麻痺した場合の対策

被災時に施設内で実際に使用できる方法（携帯メール）などについて、使用可能台数、バッテリー容量や使用方法等を記載する。
→ 携帯電話／携帯メール／ＰＨＳ／ＰＣメール／ＳＮＳ等

事業所のアカウントと各職員のアカウント（仕事用）を連携しておく

スマートフォン　　携帯バッテリー、
自動車のバッテリー＋変換器で充電

●被災地では電話がつながりにくくなるため、同じ被災地域にいる人同士が連絡を取ろうとしても、連絡が取りづらくなることがある。そういった際には、例えば遠方の交流のある施設などを中継点とし、職員・施設が互いに連絡を入れるなど、安否情報や伝言などを離れた地域にいるところに預け、そこに情報が集まるようにしておく（三角連絡法）。

緊急時連絡網を整備。
災害伝言ダイヤル 171 の周知徹底。
災害時 Wi-Fi 00000JAPANの利用も可能な場合、活用する。
キャリア毎の通信障害を想定して、複数の通信キャリアを準備する（職員のキャリアを含める）。

災害伝言ダイヤルの使い方を周知しておく

データのバックアップとクラウドサービスの利用

浸水・洪水のリスクがある場合

被災時、停電や発電機の停止により「インターネットが使えない」「パソコンのサーバーがダウンした」ときに備えます。

ハザードマップを確認し、洪水、浸水のリスクがある事業所は、パソコンやサーバーの設置位置を浸水深度より高い位置にすることをおすすめします。また、地震発生に備えて、落下防止の滑り止めをつけたり、机にパソコンやサーバーを固定したりするなどの対策もしておきましょう。

データ損失の備え

データ類の損失の備えとしては、分散保管や外付けハードディスクにバックアップを定期的に取るなどがあります。バックアップをおこなう時期は決めておきましょう。また、重要書類をスキャンし電子データとして保管したり、避難時に持ち出す書類を決めておいたりすることも重要です。

それぞれの対策における担当者を決めておきますが、不在の場合も想定し、副担当者も決めておくとよいでしょう。ＢＣＰの書類はコピーし、複数の場所に保管しましょう。

クラウドサービスの注意点

クラウドサービスを使用することで、万が一事業所のパソコンやサーバーが災害で使用不可になっても、ＩＤとパスワードさえあればほかの電子機器からログインすることができ、データを閲覧、新しいパソコンへデータを移行することが可能になります。ＩＤとパスワードに関しては情報漏洩の可能性があるので、保管は一部の職員間でおこないましょう。

クラウド上にデータを保管しておくことで、被災時だけでなく、いつでもどこからでもアクセスすることができ、日常業務の効率化も図れます。クラウドサービスの種類としては、Dropbox BusinessやOneDrive、Googleドライブなどさまざまなため、自事業所で検討してみてください。

(6) システムが停止した場合の対策

電力供給停止などによりサーバー等がダウンした場合の対策を記載する（手書きによる事務処理方法など）。

浸水リスクが想定される場合はサーバーの設置場所を検討する。

データ類の喪失に備えて、バックアップ等の方策を記載する。

パソコン　自動車のバッテリーや電気自動車の電源を活用することも有用である。
プリンター　自動車のバッテリーや電気自動車の電源を活用することも有用である。
ＷｉＦｉ　自動車のバッテリーや電気自動車の電源を活用することも有用である。

ハザードマップで浸水深度を確認

●対応策
PC、サーバー、重要書類などは、浸水のおそれのない場所に保管しておく。

PC、サーバーのデータは、定期的にバックアップをとっておく。

いざという時に持ちだす重要書類をあらかじめ決めておく。


ＢＣＰはコピーして複数の場所に保管しておく

注意
情報漏洩防止のためクラウドサービスのIDやパスワードは一部の職員のみに共有しておきましょう

トイレなどの対策をおこなう

トイレの清潔さを保つ

災害が発生して、水洗トイレが機能しなくなると、排泄物の処理が滞ります。すると、排泄物に含まれる細菌によって感染症や害虫の発生が引き起こされます。

また、トイレが不衛生であることで不快な思いをする利用者や職員が増えると、トイレの使用をためらい、排泄を我慢するようになってしまう可能性があります。排泄を我慢することで、水分や食品の摂取を控えることにつながってしまい、脱水症状、エコノミークラス症候群などの健康障害を引き起こす恐れが出てきてしまいます。

簡易トイレを備蓄しておく

被災時に備えて、簡易トイレなどを準備しておきましょう。病院・医療センターにおける簡易トイレの備蓄個数の目安※は、次のとおりです。

●短期の場合

ベッド数20床、または外来患者50人につき1基

●長期が想定される場合

ベッド数10床、または外来患者20人につき1基

プライバシー保護のために、原則として、男性用・女性用を区別して設置します。また、トイレットペーパー、生理用品、手洗い用の石けん、清掃用品なども備蓄しておきます。

トイレの種類

トイレ対策として、ポータブルトイレ、仮設トイレ、簡易トイレなどを検討します。それぞれの特徴などは次のとおりです。

●ポータブルトイレ

室内に設置可能な、水なしで使用できる小型トイレです。個室があれば使用でき、個室以外の場合もパーテーションで仕切ることで使用できます。ただし、音や臭いがそのまま漏れてしまうため、使用を躊躇する職員も出てき

※内閣府（防災担当）『避難所におけるトイレの確保・管理ガイドライン』
（https://www.bousai.go.jp/taisaku/hinanjo/pdf/1605hinanjo_toilet_guideline.pdf）

ます。

また、電気が必要なものもあり、そういったものは停電時使用できませんので、被災対策としては不向きです。

●仮設トイレ

イベントや建設現場などでも使用されている個室タイプの屋外用トイレです。鍵をかけることができます。そのため、女性には特に喜ばれます。ただし、設置保管用のスペースをかなり取ることと、費用がかさむことが問題です。

●簡易トイレ

実際のトイレに袋を二重に被せ、そのなかに凝固剤と消臭剤を投入することで、排泄をおこなえるようになります。排泄後は袋を閉じて、家庭用ゴミと一緒に捨てることができます。簡易トイレはもともとのトイレをそのまま使用するので、プライバシーを守ることができます。このような点から、簡易トイレの備蓄を多めにしている事業所が増えています。

ただし、下水が止まっているときに間違えてトイレを流してしまうと逆流する恐れがあります。そのため、利用者のトイレには「使用禁止の貼り紙」や「使用時以外はトイレのドアを外から閉めておく」など対策をしておきましょう。この場合は、利用者はオムツなどの使用を検討するとよいです。

汚物の処理方法も検討しておこう

利用者用・職員用ともに、手洗い、もしくは手指の消毒方法などの衛生管理、汚物対策を同時に検討しておかなければなりません。

汚物対策として、排泄物などはビニール袋を二重にしたものに入れて密閉し、利用者の出入りがない空間に保管しておきましょう。汚物を保管する場所の候補としては、屋上やベランダの端、倉庫、使用しないお風呂などが挙げられます。ビニール袋に入れる際に、満タンに入れてしまうと持ち運びができなかったり袋が破けてしまったりする原因となるため、排泄物を入れるのは袋の5～6割程度までにしておきましょう。

利用者の排泄状況を把握しておく

利用者の排泄介助の回数とトイレの備蓄数を把握しておきましょう。夜間はオムツを使用してもらうことや、何回まで介助をするかなどを検討しておきます。

オムツの備蓄量も、利用者の使用頻度と利用者数に、必要な日数をかけて、十分な量を用意しておきましょう。

避難所指定を受けている場合

避難所の指定を受けている事業所の場合は、避難民を受け入れることも想定して対策をおこなう必要があります。汚物対策は感染症対策にもつながりますので、しっかりと準備しましょう。

》》》衛生面（トイレ等）の対策① 《《《

（7） 衛生面（トイレ等）の対策

被災時は、汚水・下水が流せなくなる可能性があるため、衛生面に配慮し、トイレ・汚物対策を記載する。

① トイレ対策

男性用・女性用と分けて設置できるように、備品数など検討する

【利用者】

水洗トイレ 紙おむつ、ポータブルトイレ

- 電気・水道が止まった場合、速やかにポータブルトイレを所定の箇所に設置し、そちらを使用するよう案内をする（周知が遅れると、汚物があふれて処理業務が発生するため）。
- ビラを事前に作成し、保管しておく。

生理用品以外にも、トイレットペーパーや手洗い用石けん、清掃用品なども備蓄しておく

【職員】

水洗トイレ 簡易トイレ

- 女性職員のために、生理用品などを備蓄しておく。

衛生面（トイレ等）の対策②

② 汚物対策

排泄物や使用済みのオムツなどの汚物の処理方法を記載する。

●排泄物などは、ビニール袋などに入れて密閉し、利用者の出入りのない空間へ、衛生面に留意して隔離、保管しておく。

保管場所：ベランダの端

1. 汚物の一時保管場所を、決めておく。
2. 排泄物はビニール袋に入れ、消臭固化剤を使用し、密閉して一時保管場所へ置く。

排泄業務について

i 排泄介助の回数に関しては、使用できるおむつの枚数を確認して日に何回の介助が可能かを検討する。

ii トイレでの排泄が可能な方であっても断水でトイレが使用できない場合にはポータブル又はおむつ対応とする。

iii 使用済おむつは決められた場所にできるだけ密閉した状態で保管する。

主な保管場所（利用者の出入りがない場所）
- 屋上
- ベランダの端
- 倉庫
- 使用しないお風呂

排泄物・汚物をビニール袋に入れる場合、ビニール袋の５～６割程度までとする

自施設・事業所では、どういったトイレが被災時によいか、メリット・デメリットを踏まえ検討しましょう。また、トイレを使用する際の注意点や対策なども記載しておくとよいです

備蓄品を管理して被災時に必要な量を確保する

備蓄品は少しずつ準備しよう

備蓄品の確保で重要なことは、「❶現在の備蓄品の数を確認し、それらの保管場所を検討」「❷ローリングストックの実行」「❸定期的な見直し」などがあります。

一度に必要な数を確保することは難しく、地域のドラッグストアなどで調達する場合は買い占めにつながってしまいます。ですので、少しずつ備蓄品を確保していくようにしましょう。

❶❷❸を実行する

❶備蓄数を確認・保管場所の検討

すでにある備蓄品は、自事業所で管理している備蓄品リストなどを使用して確認しましょう。そこから新たに必要なものが出てきた場合には、備蓄品リストに追加します。

備蓄品の保管場所については、倉庫があればそこでよいかもしれませんが、施設・事業所によっては5階建てなど、階数が高いところもあると思います。そういった場合は、1か所に同じものを保管するのではなく、各階それぞれに見合った量を、各階に保管しておきましょう。

❷ローリングストックの実行

ローリングストックとは、備蓄品の消費期限切れを防ぎ、被災時に備えて、平時から備蓄体制を整えることをいいます。また、平時から使用する備蓄品についても、ローリングストックをおこないながら被災時のために多めに備蓄をしておきましょう。マスクや、消毒用アルコールなどがそれに当てはまります。非常食や飲料水には賞味期限がありますので、備蓄品リストには期限を記入し、賞味期限の近いものは訓練で使用したり、生活用水の備蓄に回したりしましょう。

❸定期的な見直し

ここでは、不足しているものや新たに必要な備蓄品について更新していきます。見直しは「訓練の終了時」など、定期的におこないましょう。備蓄品リストの管理をする代表者と代行者を決めておくとよいです。

必要品の備蓄

（8） 必要品の備蓄

被災時に必要な備品はリストに整理し、計画的に備蓄する（多ければ別紙とし添付する）。定期的にリストの見直しを実施する。備蓄品によっては、消費期限があるため、メンテナンス担当者を決め、定期的に買い替えるなどのメンテナンスを実施する。

【飲料・食品】

品名	数量	消費期限	保管場所	メンテナンス担当
飲料水（2リットル[illegible]）				
ジュース缶（果物・野菜）				
お茶				
保存食（アルファ化米）				
米（無洗米）				
レトルト食品				
缶詰				
経管栄養食				
高カロリー食				

消費期限が近いものは訓練の際に試食などをして消費する

ひな型には
【医薬品・衛生用品・日用品】
【備品】の記入例もあります

ローリングストックの流れ

平時から少し多めに非常食や消耗品等をストックしておく

ローリングストック

備蓄品の消費期限切れを防ぐ等、被災に備え平時から備蓄体制を整える

不足品や新たに必要なものはBCP委員会で検討、買い足す

消費期限が近い備蓄品等は訓練等で消費する

事業継続のために資金不足のリスクを軽減！

被災時の資金繰り

災害が発生し、ガスや電気などが停止、復旧まで長い時間がかかった場合、事業の縮小や休業が必要になってきます。縮小・休業により、収入が減少しているなかで職員に給料を支払わなければならない状態は、資金繰りの悪化につながります。

資金手当ては、早めの事業復旧において重要な役割を担います。大地震や感染症で被害が出た場合、特例としての特別融資を受けることができたとしても、いつかは返済が求められます。事業所によっては被災時の資金確保について、特に対策をしていないこともあります。

保険の約款を見直そう

資金手当ての手段として、火災保険や地震保険があります。近年、異常気象により自然災害による被害が増加していることから火災保険や地震保険の約款が変更されていて、気づかない間に地震や洪水が免責となっている可能性があります。特に「事業用物件への制限」が見受けられますので、加入している保険の約款を確認するとともに、変更の有無を保険会社に確認しておきましょう。

賠償責任保険では、自然災害に起因する損害賠償責任を免責としています。定期的な確認と保険の変更を検討しましょう。また、車両保険なども同時に確認しておくとよいです。

また、被災時には手元金（現金）が必要となります。なぜなら、カード決済などは電気を必要とするので、全く使えなくなる可能性があります。手元金として、数か月分の資金を蓄えておきましょう。

ＢＣＰに記入しておくこと

ＢＣＰの記入欄には、加入保険のリストと連絡先、免責事項などを記載し、保管しておきます。さらに、被災時の手元金を用意してあるかどうかも記載しましょう。確認ができていない場合は「確認中」などと記載し、見てすぐにわかるように色などを変えておくことをおすすめします。

(9) 資金手当て

災害に備えた資金手当て（火災保険など）を記載する。
緊急時に備えた手元資金等（現金）を記載する。

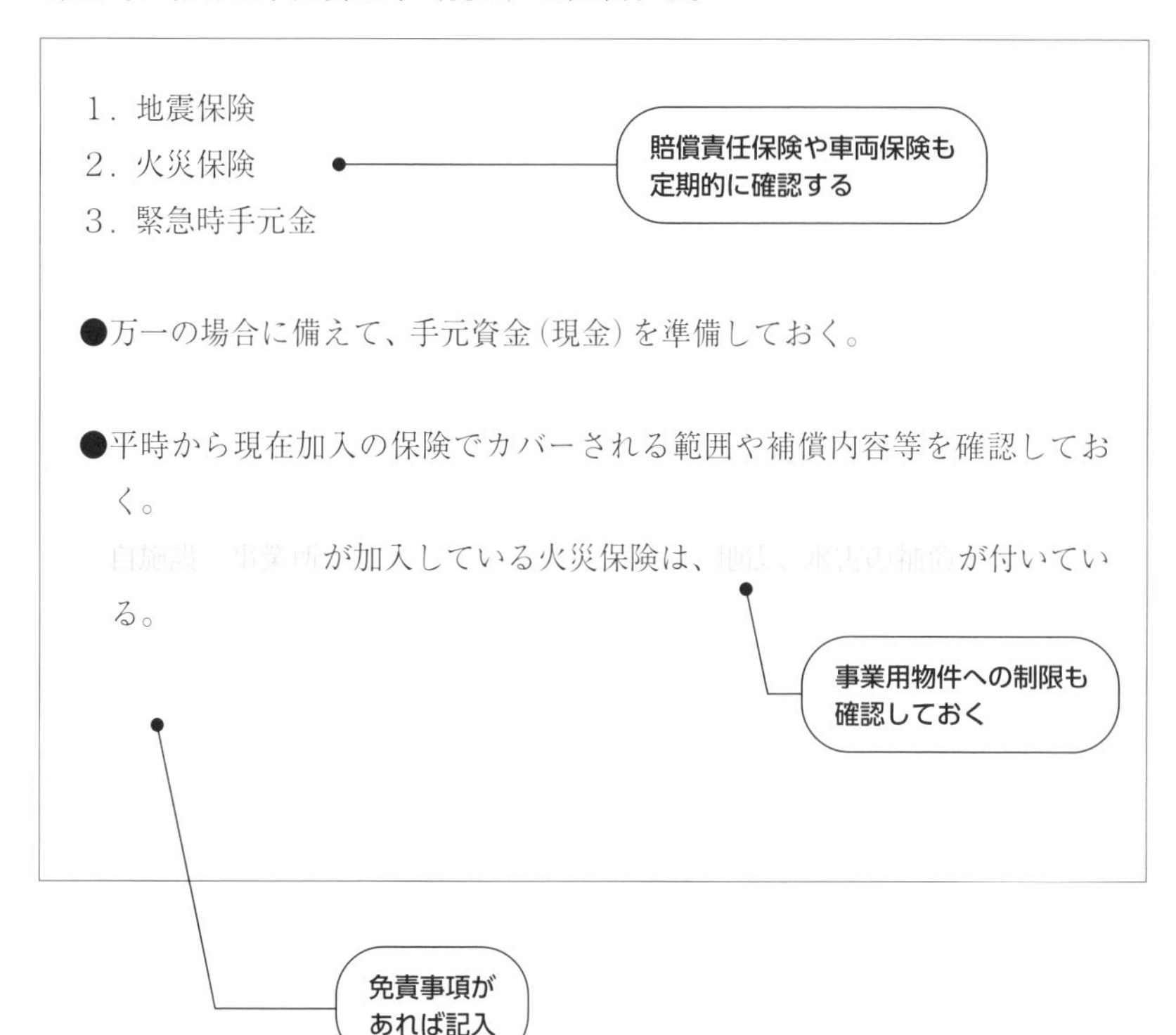

1．地震保険
2．火災保険
3．緊急時手元金

●万一の場合に備えて、手元資金（現金）を準備しておく。

●平時から現在加入の保険でカバーされる範囲や補償内容等を確認しておく。
自施設・事業所が加入している火災保険は、地震・水害の補償が付いている。

確認できていないものがある場合は
「○○確認中」などと記載しておきましょう。
マーカーなどを引いておくと、
わかりやすくなります

被災時ＢＣＰを速やかに発動する基準を決める

「ＢＣＰを発動する」とは

「ＢＣＰを発動する」とは「ＢＣＰ委員会を設け、ＢＣＰをもとに、職員のやるべきことをし始める」ことです。

「ＢＣＰの発動基準」とは

「ＢＣＰの発動基準」とは「どのような被災状況でどういった警報が発令されたときにＢＣＰを発動するのか」を決めた基準のことです。発動基準は次のように考えることが多いです。

●地震の場合

自事業所のハザードマップを参照し、事業所の地域単位（市区町など）で「震度△△以上の地震が起こったとき」に発動すると設定します。「震度5弱または5強以上」を基準とすることが多いです。南海トラフや首都直下型地震の影響を受ける地域では、基準を低めに設定したりしましょう。

●水害の場合

自事業所のハザードマップを参照し、地域が発令した避難情報において「警戒レベル△△以上」で発動すると設定します。「警戒レベル3以上」を基準として設けることが多いです。その理由として、警戒レベル3のときは、「高齢者は立ち退き避難する」と記載されているからです(左ページ参照)。

「海の近くで津波の被害が甚大である」「海抜が低く浸水の深さが事業所より高い」「浸水継続時間が1週間以上続く」などが想定される事業所では、早めの避難が必要となるので、警戒レベル2を発動基準とすることもあります。

数字以外の発動基準

発動基準には「管理者・理事長などの責任者が必要と判断した場合」も含まれますので、管理者・理事長が不在の場合の代替者も決めておきましょう。

また、発動したときに職員が自宅にいたり外出していたりすることもあるので、発動基準などは職員の携帯などにメモして、常に持ち歩くようにしておきましょう。

3. 緊急時の対応

（1） ＢＣＰ発動基準

地震の場合、水害の場合等に分けてBCPを発動する基準を記載する。

【地震による発動基準】

市内において、震度５弱以上の地震が発生し、被災状況や社会的混乱等を総合的に勘案した結果、管理者が必要と判断した場合、災害対策本部を設置し、BCPを発動する。

南海トラフや首都直下型
地震の影響を受ける地域
では基準を低めに設定

次の可能性が考えられる場合は基準を低めに検討
・海の近くで津波の被害が甚大である
・海抜が低く浸水の深さが事業所より高い
・浸水継続時間が１週間以上続く

【水害による発動基準】

市が発令する避難情報において、警戒レベル３以上が発令されている状況で、被災状況や社会的混乱等を総合的に勘案した結果、管理者が必要と判断した場合、災害対策本部を設置し、BCPを発動する。

【参考】避難準備・高齢者等避難、避難勧告、避難指示及び災害発生情報

警戒レベル	市民等が取るべき行動	避難情報
（警戒レベル1）	（災害への心構えを高める。）	（早期注意情報）
（警戒レベル2）	（避難に備え自らの避難行動を確認する。）	（大雨・洪水注意報等）
警戒レベル3	高齢者等は立ち退き避難する。 その他の者は立ち退き避難の準備をし、自発的に避難する。	避難準備・高齢者等避難開始
警戒レベル4	指定緊急避難場所等への立ち退き避難を基本とする避難行動をとる。	避難勧告
	災害が発生するおそれが極めて高い状況等となっており、緊急に避難する。	避難指示（緊急） ※緊急的又は重ねて避難を促す場合に発令
警戒レベル5	既に災害が発生している状況であり、命を守るための最善の行動をとる。	災害発生情報 ※可能な範囲で発令

また、管理者が不在の場合の代替者も決めておく。

管理者	代替者①	代替者②

発動基準とともに行動基準も検討

行動の優先順位

ＢＣＰの行動基準は、ＢＣＰ発動と同時に職員がやるべきことです。安否確認方法や各種連絡先などを記載しておきましょう。わかりやすいように整理して、事業所特有の項目がある場合は、追加で記載します。

被災時は、安否確認や安全確保、避難などの生命に関わることが最優先となります。また、火事・倒壊などの二次災害や浸水の悪化が心配される場合もあるので、避難場所の確保や、避難行動の選択も優先的におこないます。

役割分担をおこなう

スムーズに行動するためにも、初動の役割分担はとても大切です。バラバラにおこなうのではなく分担することで、整理のしづらい緊急時でも円滑に対応することができます。

初動の例として「❶テレビ・ラジオによる情報収集と各フロアへの応援指示」「❷フロアで応援体制のもと利用者の安全確認、設備・ライフラインの確認」「❸二次被害の要因除去」「❹設備点検・玄関開放」などがあります。

❶では、災害対策本部を自事業所内に設置し、情報を共有しながら、職員へ必要な指示・注意喚起をします。ホワイトボードまたは紙に時系列でおこなう行動を書き、情報処理と共有に役立てるとよいでしょう。

自事業所で初動を設定したら、担当者を決めておきましょう。被災時職員が揃っていない可能性もあるので、代行者も設定しておきましょう。発動基準と同様、行動基準は携帯カードに記載して常に持ち歩くようにしましょう。また、平時から訓練や見直し、情報収集、日頃から点検をおこなうことで、被災時の迅速な対応を可能にします。

サービスごとの留意点

【入所系サービス】の場合は、職員の参集も併せておこない、重要業務の早期再開を目指します。【在宅サービス】では、重度者や独居の利用者に対して最低限のサービスを提供します。

(2) 行動基準

発災時の個人の行動基準を記載する。

●行動基準は安否確認方法、参集基準、各種連絡先等の必要な事項を「携帯カード」に整理して、職員に携帯させるよう運営する。

対応の優先順位

・被災直後は、生命に関わることを最優先で行う
・各自が自身・周辺の安全確保

被災時担当者がいない場合もあるため、代行者も決めておく

初動の役割分担

・テレビ、ラジオによる情報収集とフロアへの応援指示
・フロアで応援体制のもと、利用者の安全確認、設備、ライフラインの確認
・二次被害の要因除去
・設備点検・玄関開放

情報の収集と共有

・災害対策本部を事務所に設置する。
・要所要所でテレビ情報含めて放送で情報提供し、職員への必要な指示・注意喚起をする。
・ホワイトボード又は紙に時系列に書き、情報処理と共有に役立てる。

迅速に復旧できる体制をつくる

BCPに記載すること

活動班を構成し、班長とメンバーを決めます。被災時は出勤している職員が限られている場合があるので、副班長なども決めておきましょう。各班長の電話番号を明記しておくことで、被災時の情報共有がスムーズになり、連携の効率化が図れます。

メンバーの横の欄には活動班の役割と行動を明記します。活動記録をとる担当者も決めておくとよいです。

活動班と役割の決め方

BCPに記載する際には、上から順に組織人数が増え、役割は細分化していくようにします。

記載する具体的な内容ですが、グループ❶からグループ❷までは、ほとんどの事業所が同じような体制でよいです。グループ❸以降は、自事業所の利用者と職員の数に応じて、細分化していくことが必要です。各班の役割などは、記入例を参考に検討してみてください。

担当を兼務する職員がいる場合もありますので、業務の負担が偏らないように気をつけてください。

班のメンバーは、自班の役割・職務を把握しておく必要があるので、それぞれの班で定期的な確認をおこない、被災時に備えておきましょう。

対応体制の見直し方

訓練後や災害復旧後、担当者がとった活動記録をもとにそれぞれの班の活動を振り返る機会を設けましょう。今後、より対応が迅速におこなえるように見直します。

班ごとに、自班の役割に応じた内容の訓練を実施し、訓練後にさらに振り返り、必要に応じて班構成や役割を見直します。担当外の職員にしかわからないことなどもありますので、個人個人の意見を尊重するようにしましょう。

（3） 対応体制

対応体制や各班の役割を図示する。
※在宅の場合は、「1.（2）推進体制」の組織表をそのまま使用。

担当者名／部署名	対策本部における職務（権限・役割）	
グループ❶ 理事長、管理者、施設長 電話 090 XXXX XXXX	対策本部長	・対策本部組織の統括、全体統括 ・緊急対応に関する意思決定
グループ❷ [illegible] 電話 090 XXXX XXXX	事務局長	・対策本部長のサポート ・対策本部の[illegible] ・[illegible]
グループ❸ 職種 電話 090 XXXX XXXX	事務局メンバー	・事務局長のサポート ・[illegible]の窓口 ・社外対応の窓口
グループ❹ 職種 電話 090 XXXX XXXX	事務局メンバー	・社外対応(指定権者) ・医療機関との連携 ・関連機関、他施設、関係業者との連携 ・ホームページ、広報、自治体等への情報公開 ・活動記録を取る
グループ❺ 職種 電話 090 XXXX XXXX	事務局メンバー	[illegible]
グループ❻ 職種 電話 090 XXXX XXXX	[illegible]	[illegible]
グループ❼ 職種 電話 090 XXXX XXXX	事務局メンバー	[illegible]

災害対策本部の拠点を考える

対応拠点を決める際のポイント

対応拠点の候補を検討する際のポイントとして「被災時の安全性や拠点の出入りの利便性、通信機器の利用、感染対策の可否」があります。

拠点候補地が津波や大雨による浸水の被害が想定される場合は、ほかの候補にするか、より上の階に設置することを検討します。浸水が想定されない場合は、移動や備蓄庫の機能性などを考慮して、1階などの低いところを拠点にします。何階に拠点を設置するかはハザードマップと検討項目を参考に決定しましょう。

最大浸水深度が自事業所より高い場合や液状化のリスクが高い場合、土砂崩れのリスクがある場合は、自施設や自事業所以外の場所を拠点としましょう。施設が複数ある場合などは、そちらを拠点とすることもできます。

通信・感染対策の可否を検討する

被災によって通信が麻痺したり、システムが停止した場合、最も早く復旧をおこなえる場所を拠点にする必要があります。被災時は情報共有が必須となるため、被災時は対応拠点の復旧を優先するなどしましょう。

感染対策が可能かどうかに関しては、レッドゾーンから離れていることや、換気がきちんとされる空間などを考慮する必要があるため、経路の図面を用意しておくとよいです。

拠点候補は複数用意する

二次災害などに遭う可能性があるため、拠点の候補は最低でも2か所は設けておきましょう。大きな車やバスなどを自施設・事業所で持っている場合は、被害が大きく施設内に拠点を設けることができないことを想定して、それらを拠点にすることもできます。その際には、自家発電機や蓄電池を備蓄し、継続時間などを把握しておきましょう。また、車のバッテリーを電源の代替品として活用できるようにしておきます。第3候補がない場合は「なし」や「未記入」のままでよいです。

対応拠点

（4） 対応拠点

緊急時対応体制の拠点となる候補場所を記載する（安全かつ機能性の高い場所に設置する）。

第1候補場所	第2候補場所	第3候補場所

浸水のリスクなどを踏まえ検討

対応拠点の検討項目

被災時の安全性

・浸水被害が想定されるか
・液状化のリスクがあるか
・土砂崩れのリスクがあるか

拠点の出入りの利便性
感染対策の可否

・レッドゾーンから離れているか
・換気が十分にされる空間であるか

※レッドゾーンとは、感染（疑い）者が滞在している部屋など、ウイルスがまん延していると考えられる空間のこと

通信機器の利用

・復旧を早くおこなえる場所

※被災時は対応拠点の復旧を優先する

利用者の安否確認シートを作成する

安否確認シートとは

被災時、利用者の安否を速やかに確認するために、確認方法やルールを決定しておきます。「安否確認シート」を作成し、そこに利用者それぞれの状況を記入します。左ページの［安否確認］欄にある「無事・負傷・不明・外出・死亡」などは事業所ごとに設定するとよいでしょう。

ルールでは、安否確認シートを記入する担当者や保管場所、誰に報告するかを決めておきます。担当者が不在の場合もあるので、副担当者くらいまでは決めておくとよいです。

【在宅サービス】の安否確認の方法は「電話、または訪問」になります。利用者の介護度や独居かどうかなども考慮して決め、ケアマネジャーと共有しておきましょう。

負傷者の搬送ルートも決める

負傷者が出たら医療機関に迅速に搬送できるように、その方法も決めておきましょう。指定協力病院がある場合はそちらの連絡先をBCPに記入し、指定協力病院へ事前に情報を共有しておきましょう。

指定協力病院がない場合は、まず指定協力病院を決めることから検討します。そのほか、利用者のかかりつけ病院などへの搬送も考慮しておきましょう。その際、すぐに病院へ連絡ができるように「利用者のかかりつけ病院一覧表」を作成し、職員間で共有しておくことをおすすめします。

対策を練る

介護施設や事業所では、夜間の災害も想定しなければなりません。夜間は職員の数が少ないので、手分けして速やかに利用者の安否確認をしつつ、出勤可能な職員に出勤してもらう必要があります。利用者のなかにはパニックになってしまう方もいるので、そういった利用者への対応も検討しておきます。

（5） 安否確認

① 利用者の安否確認

震災発生時の利用者の安否確認方法を検討し、整理しておく（別紙で確認シートを作成）。なお、負傷者がいる場合には応急処置を行い、必要な場合は速やかに医療機関へ搬送できるよう方法を記載する。

【安否確認ルール】

●利用者の安否確認を速やかに行う。

●速やかに安否確認結果を記録できるよう安否確認シートを準備する。

●が利用者の安否確認を行い、に報告する。

No	ご利用者氏名	部屋番号	安否確認	容態・状況
1			無事 ・ 負傷 ・ 不明 ・ 外出 ・ 死亡	
2			無事 ・ 負傷 ・ 不明 ・ 外出 ・ 死亡	
3			無事 ・ 負傷 ・ 不明 ・ 外出 ・ 死亡	
4			無事 ・ 負傷 ・ 不明 ・ 外出 ・ 死亡	
5			無事 ・ 負傷 ・ 不明 ・ 外出 ・ 死亡	

【在宅サービス】の場合、電話または訪問で安否確認をおこなう

【医療機関への搬送方法】

負傷している場合は、医療機関へ搬送を要請する

・指定協力病院（　　　）

院名と電話番号を記入

「利用者のかかりつけ病院一覧表」をつくっておくと、被災に限らず、緊急事態が起きたときに活用できます。作成したら職員間で共有しておきましょう

職員の安否確認シートを作成する

安否確認シートの内容

被災時、職員が出勤している場合と自宅などにいる場合があります。そのため、それぞれの場合での安否確認方法・ルールを決める必要があります。

利用者と同じように「安否確認シート」を作成します。安否確認シートには、左ページのように「安否確認・自宅の被災状況・家族の安否・出勤可否」などの欄を設けます。これらの項目は事業所に応じて検討してください。

災害が発生した場合は職員自身も被災者となるので、職員一人ひとりの安全を最優先にし、出勤可能かどうかを確認しましょう。

ルールも利用者の場合と同じように担当者・副担当者や安否確認シートの保管場所、誰に報告するかなどを決めておきます。

施設内の職員の安否確認方法

施設内にいる職員の安否確認については、フロアリーダーやユニットリーダーがフロアごと、ユニットごとに点呼をおこない、責任者に報告をし、その後の指示を仰ぎましょう。フロアやユニットごとに簡易的な安否確認シートを設けておくと、スムーズに確認をおこなえます。安否確認シートの保管場所も共有しておきましょう。

施設外の職員の安否確認方法

非番の職員の安否確認は、被災時用の緊急連絡先に連絡しておこないます。緊急連絡先と連絡するタイミング（たとえば「震度5弱以上の地震が発生した場合」）などのルールを決めて、共有しておきましょう。

被災時には電話回線がパンクしている可能性があるので、連絡手段の順序を決めておきます。また、報告を簡潔にできるように「自身の状況・家族の安否・出勤可否」など、確認する項目の順番も決めておきましょう。

安否確認が取れない職員がいた場合は「ご家族へ安否確認をおこなう」などとしましょう。

安否確認②

② 職員の安否確認

地震発生時の職員の安否確認方法を複数検討し準備しておく（別紙で確認シートを作成）。
（例）携帯電話、携帯メール、ＰＣメール、ＳＮＳ等

【施設内】

・職員の安否確認は、利用者の安否確認とあわせて各エリアでエリアリーダーが点呼を行い、管理者に報告する。

【自宅等】

56ページ「通信が麻痺した場合の対策」などを参照

・自宅等で被災した場合は、①電話、②携帯メール、③災害用伝言ダイヤルで、施設に自身の安否情報を報告する。
・報告する事項は、自身・家族が無事かどうか、出勤可否を確認する。

・報告事項は以下のとおりとする。

フロアごと・ユニットごとの簡易シートがあるとより便利

氏名	安否確認	自宅の被災状況	家族の安否	出勤可否
	無事・死亡 負傷・不明	全壊・半壊 一部・損壊なし	無事・死傷あり （　　　）	可能・不可能 （　　　）
	無事・死亡 負傷・不明	全壊・半壊 一部・損壊なし	無事・死傷あり （　　　）	可能・不可能 （　　　）
	無事・死亡 負傷・不明	全壊・半壊 一部・損壊なし	無事・死傷あり （　　　）	可能・不可能 （　　　）

※安否確認シートは、別途作成して、保管する

保管場所も検討し記載

被災時は職員も被災者です。
職員一人ひとりの安全を最優先に、
その後の行動などを決めるように
しましょう

被災時の職員の出勤を判断する基準

参集基準の考え方

被災時に出勤途中の職員に危険が及ばないようにしたり、出勤するかしないかで家族と板挟みになり悩んだりしてストレスを抱えないように、参集基準をあらかじめ決めておきます。

参集基準の例として『震度5強以上の揺れが生じた場合、もしくは避難情報警戒レベル3以上が発令された場合』は事業所に連絡をとり、管理者などの指示に従い、安全を確保しながら参集する」などがあります。震度や避難情報警戒レベルの大きさは各事業所で設定してください（68ページ参照）。

そのほか、ハザードマップを参考に、被災時職員が自分の判断で出勤を決められる基準を設けたりしておくとよいです。

「職員の自宅や家族が被災した場合は出勤を免除する」など、職員自身を考慮したルールも決めておく必要があります。

被災時の出勤ルートを想定する

災害で公共交通機関などが使用できなくなったり、通勤経路の道路が使用できなくなったりする可能性があります。被災時には「そういった場合の迂回ルートとその所要時間などを踏まえたうえで、出勤可否を考える」ことを想定しておく必要があります。

施設サービスの場合

【入所施設系サービス】は24時間サービスを提供しなければならないため、災害が日中に発生した場合と、夜間に発生した場合に分けて参集基準を設けましょう。夜間は職員が少ないので「出勤できる（出勤が免除される状況以外の）職員は夜間でのルールに則って出勤する」など決めておきましょう。

（6） 職員の参集基準

1．　　　以上の揺れが生じた場合もしくは　　　　　　　　　以上が発令された場合は、事業所に連絡を取り、　　　の指示に従い、安全を確保しながら参集する。
2．上記の場合で、３０分以上、事業所と連絡が取れない場合は、安全確保を最優先に自主的に参集する。
3．自ら又は家族が被災した場合や、交通機関、道路状況によって参集が難しい場合は無理に参集する必要はない。その場合も、可能な限り早期に事業所に安否確認の連絡を入れる。

ハザードマップを参考に、被災時の通勤ルートも確認・共有しておく

●参集基準

<初動職員>

対象職員：

地震　　　市周辺において、　　以上の地震が発生

水害　　　　　　　　　　　　　　　が発表されたとき。
　　　台風により高潮注意報が発表されたとき。

昼間

夜間

24時間サービスを提供する【入所施設系サービス】では、昼と夜で分けて対応を考えておく

<その他の職員>

　　　の指示に従い、求めがあった場合

●下記に該当する場合は、参集基準に該当する場合においても、原則、参集の対象外とする。

・自宅が被災した場合
・自身または家族が負傷し、治療等が必要な場合

災害に応じた避難場所と避難方法を決める

施設内での避難

被災時は最短ルートでの避難が難しいです。どこに、どのように避難する・させるかを職員一人ひとりが把握し、臨機応変に対応しなければなりません。

施設内の避難場所候補は、2か所以上設定しておきましょう。施設が2階建て以上で、かつ耐震性もある場合、垂直避難をすることができますので、浸水深度を確認したうえで避難場所を決定しましょう。また、避難場所を考える際には、備蓄品の保管場所や移動のしやすさなども考慮しましょう。介護度が高い利用者や車椅子での移動が必要な利用者などの避難方法も事前に確認・共有しておく必要があります。

施設外への避難

施設外へ避難する場合、地震や洪水などさまざまな被害が想定されます。そのため、市町村で設定されている一番近い避難所に避難すればいいのではなく、ハザードマップで確認し、被害リスクの規模が小さく迂回ルートを確保できそうな場所に避難するようにしましょう。地震・洪水など、それぞれの災害に応じた避難場所を決めておくのもよいです。

避難方法

避難方法については、次のような方法がありますので、参考にしつつ検討してみてください。

- **自力で避難できない利用者はスロープを使用する**
- **職員は安全に留意しながら利用者を誘導する**
- **避難場所を大声で周知しながら集合する**
- **頭をクッションなどで保護し、できるだけ靴を履くように指示する**

避難訓練の際は、実際に車椅子に職員を乗せて避難経路をたどることで、段差や障害物を確認することができます。薬が必要な利用者がいる場合には、薬の持ち出しを忘れないように工夫しましょう。各事業所で避難方法を決めつつ、考えられるアクシデントなども共有しておきましょう。

（7） 施設内外での避難場所・避難方法

地震などで一時的に避難する施設内・施設外の場所を記載する。また、津波や水害などにより浸水の危険性がある場合に備えて、垂直避難の方策について検討しておく。

【施設内】

	第１避難場所	第２避難場所
避難場所		
避難方法	・自力で避難できない利用者はスロープを使用する。 ・安全に留意しながら利用者を誘導する。 ・避難場所を大声で周知しながら集合する。 ・頭をクッション等で保護し、できるだけ靴を履く。	・自力で避難できない利用者はスロープを使用する。 ・安全に留意しながら利用者を誘導する。 ・避難場所を大声で周知しながら集合する。 ・頭をクッション等で保護し、できるだけ靴を履く。

災害の種類（地震・洪水など）ごとに避難場所を考えておくとよい

【施設外】

	第１避難場所	第２避難場所
避難場所		
避難方法	送迎用車両にて避難。 早急な避難が必要な場合は職員の自家用車も活用。 ・安全に留意しながら利用者を誘導する。 ・車いすでの避難には極力複数で対応する。 ・状況に応じて、上着、雨具等を用意する。 ・救急箱を持ち出す。（担当：　　） ・全員避難できたか、点呼等により確認する。	・移動には送迎車両を使用。場合によっては職員の自家用車も使用。 ・事業所内に取り残された者がいないか確認する。 ・避難先でのケアに必要な用品を持ち出す。

薬の持ち出しも忘れないようにする

避難訓練で、実際に職員を車椅子に乗せて避難経路を移動してみましょう。移動のしづらさや、段差などに気づけるかもしれません

出勤率や備蓄品の在庫量に合わせた対応

業務継続の一覧表を作成する

先に決めた優先する業務(38ページ)を、災害発生時から復旧まで、どのようにして継続するかを決定しましょう。被災想定(左ページでは［ライフライン］)と職員の出勤率、備蓄品の在庫量を記載し、時系列順に並べることで整理・共有しやすくなります。

重要業務は各事業所によって異なり、また、被災想定も異なるため、施設系なのか在宅系なのかを考慮しつつ、ハザードマップで想定される被害を加味して業務継続の一覧表を作成しましょう。

被災時は「日中・夜間」によっても対応が異なるので、分けて記載するとよいでしょう。特に夜間に災害が発生した場合は職員が少なく、参集できる職員も少ないことが想定されるので、最重要業務を優先し、必要最低限の業務をおこなうようにしましょう。

ライフラインと対応の考え方

［ライフライン］に関して、停電と断水だけでなく、ガスの停止や通信麻痺、システムの停止などが想定されます。地域によって被害の大小が異なりますが、最悪のケースを想定して一覧に追記してください。

システムが停止すると、手書きで対応しなければならない業務も出てくるので、その際の対応も検討しましょう。

復旧時期も予想しつつ検討する

通常、災害発生から1週間程度である程度復旧できますが、ガスに関しては復旧までに1か月以上時間がかかることがあります。食事を提供するような施設では、非常食や流動食以外の「水で食べられるアルファ米」などの備蓄も検討しておきましょう。

［在庫量］に関しては、復旧とともに再度調達し、二次災害や今後の災害にも対応できるようにする必要があります。被災後、適宜調達し、在庫量が100%になるように定期的に確認しておきましょう。

(8) 重要業務の継続

優先業務の継続方法を記載する（被災想定〈ライフラインの有無など〉と職員の出勤を合わせて時系列で記載すると整理しやすい）。

経過 目安	夜間 職員のみ	発災後 6時間	発災後 1日	発災後 3日	発災後 7日
出勤率	出勤率3%	出勤率30%	出勤率50%	出勤率70%	出勤率90%
在庫量	在庫100%	在庫90%	在庫70%	在庫20%	在庫正常
ライフライン	停電、断水	停電、断水	停電、断水	断水	復旧
業務基準	職員・ 入所者の 安全確認 のみ	安全と 生命を 守るための 必要最低限	食事、 排泄中心 その他は休止 もしくは減	一部休止、 減とするが、 ほぼ通常に 近づける	ほぼ 通常どおり
給食	休止	必要 最低限の メニューの 準備	飲用水、 栄養補給 食品、 簡易食品、 炊き出し	炊き出し 光熱水復旧の 範囲で 調理開始	炊き出し 光熱水復旧の 範囲で調理 開始
食事介助	休止	応援体制が 整うまでなし 必要な利用者 に介助	必要な 利用者 に介助	必要な 利用者 に介助	必要な 利用者に 介助
口腔ケア	休止	応援体制が 整うまで なし	応援体制が 整うまで なし	適宜介助	ほぼ 通常どおり
水分補給	応援体制が 整うまで なし	飲用水準備 必要な 利用者に 介助	飲用水準備 必要な 利用者に 介助	飲用水準備 必要な 利用者に 介助	飲用水準備 ほぼ通常 どおり
入浴介助	失禁等ある 利用者は 清拭	適宜清拭	適宜清拭	適宜清拭	光熱水が 復旧しだい 入浴

表の出典：MS&ADインターリスク総研株式会社「厚生労働省令和元年度生活困窮者就労準備支援事業費等補助金社会福祉施設等におけるＢＣＰの有用性に関する調査研究事業「社会福祉施設等におけるＢＣＰ様式および解説集」」（https://www.mhlw.go.jp/content/12200000/000651586.pdf）

早期復旧のためには職員の体調管理も重要

被災後の身体的・精神的疲労

被災時は職員の確保が難しく、出勤できる職員が限られます。そのなかで重要業務をこなしていかなければならないため、勤務する職員の「業務量の増加」「疲労の蓄積」「睡眠時間の減少」「プライベート時間の減少」などが起こります。それによりストレスも蓄積していきます。

職員は事業を継続・復旧することにおいて重要な存在です。休憩場所と宿泊場所をきちんと設けることで、睡眠時間の確保、疲労回復、リフレッシュ、ストレスの減少を期待できます。自施設・事業所が被災しているということは、その職員も一被災者であるということを決して忘れてはいけません。

休憩場所・宿泊場所を決める

［休憩場所］は、すでに事業所に十分な休憩スペースがある場合はそちらを設定してもよいです。もともと事業所内に休憩場所がない場合は、休憩時にプライベートを保護できるように、入居者・利用者とは異なる場所を確保しましょう。

［宿泊場所］も休憩場所と同様に、すでに事業所内で確保できる場合はそちらを設定します。確保ができない場合、休憩場所と同様に考えたり、最悪の場合は社用車という選択肢もあります。なるべく「仕事」から離れた環境づくりを目指してください。

帰宅が困難な職員は？

自宅が被災し、帰宅が困難な職員に対しては近隣のホテルやウィークリーマンションの利用も検討しましょう。災害ではなく感染症ではありますが、実際に職員用にマンションを借りた事業所もあります。近隣宿泊施設とあらかじめ連携しておくこともおすすめです。

職員の確保に尽力するとともに、職員1人に負担が集中しないための対策を検討しましょう。

職員の管理①

（9） 職員の管理

「仕事」から離れた空間

① 休憩・宿泊場所

震災発生後、職員が長期間帰宅できない状況も考えられるため、候補場所を検討し、指定しておく。

休憩場所	宿泊場所

必要に応じて近隣のホテルやウィークリーマンションの利用も検討

被災直後の心身を回復するために必要となる要素

安全	安否の確認・二次災害からの保護・比較的安全な場所への誘導、保護
安心	被災者の孤独感を和らげる・様子を見て声をかける・援助の輪で支援者に「守られている」と認識してもらう
安眠	睡眠できる環境を早急に確保・少しでも落ち着けるスペースの確保

被災後の心身を回復するために必要となるものに
「安全・安心・安眠」があります。
休憩場所・宿泊場所を検討する際には、
これらを意識するようにしましょう

職員の確保・負担軽減のための勤務体制を組む

被災時の勤務シフト原則を考える

災害発生後、職員が長期間帰宅できなくなる可能性があります。なるべく職員の体調および負担の軽減に配慮して勤務体制を組めるように「被災時の勤務シフト原則」を事前に検討しておきましょう。

検討する際には、重要業務の継続方法を参考にし、職員数などを軸にシフトを作成します。

記載する内容

出勤する職員が少ない期間は、在宅サービスを休業、または縮小し、在宅サービスの職員を施設サービスに勤務シフトして、職員の負担を減らすことを優先します。

可能な限り、平時の勤務体制の維持に努め、過重労働とならないように配慮します。特に、一部の職員が連続した夜勤業務とならないように配慮し、体調不良で勤務困難となってしまわないようにします。

被災時は、制度上の特例があるため通常の配置基準にこだわらず、必要最低限のケアができる体制とすることを心がけましょう。職員が過労で倒れては業務継続が不可能であるため、職員の健康維持を最優先として、同時に被災時のストレス（惨事ストレス）やメンタルのケアをおこないます。平時から職員が自らできるセルフケアの方法などを、研修や訓練時に周知しておきましょう。

ストレスチェックの方法

メンタルセルフケアではストレスチェック表を使用したりしますが、同じものを何度も使用すると職員も同じところにチェックするようになり、正確なセルフケアをおこなえなくなります。そのため、数種類用意しておくとよいです。

また、外部窓口を設けることで、内部ではいいづらいような内容も職員から聞き出すことができます。そちらも検討しておきましょう。

職員の管理②

② 勤務シフト

震災発生後、職員が長期間帰宅できず、長時間勤務となる可能性がある。参集した職員の人数により、なるべく職員の体調および負担の軽減に配慮して勤務体制を組むよう災害時の勤務シフト原則を検討しておく。

【被災時の勤務シフト原則】

被災直後の、出勤する職員が少ない期間は、在宅サービスを休業、または縮小。在宅サービスの職員を施設サービスに勤務シフトして、職員の負担を減らすことを優先する。

可能な限り、平常時の勤務体制の維持に努め、過重労働とならないように配慮する。特に、一部の職員が連続した夜勤業務とならないように配慮する。被災時は、制度上の特例があるため、通常の配置基準に拘らず、必要最低限のケアが出来る体制とすることを心がける。職員が過労で倒れては業務継続が不可能である。職員の健康維持を最優先として、同時に被災時のストレス（惨事ストレス）やメンタルケアに配慮し、平常時から職員が自ら出来るセルフケアの方法などを、研修や訓練時に周知する。

被災時・感染発生時のストレス反応例

- 悔しくて腹が立つ
- 自分自身の安全を考えて、怖くなる
- 自分の微力さに罪悪感が生じる
- 感情的になりすぎたことを恥ずかしく思う
- ほかの人が無事かどうか心配になる
- 感情的になり、取り乱しそうになる
- 失禁しそうになる。失禁する
- 出来事に恐怖を覚えゾッとする
- 「汗をかく・ドキドキする・震える」等の身体反応が出る
- 気を失いそうになる
- 死ぬかもしれないと思う

破損箇所確認シートを用意しておく

確認シートの必要性

復旧作業が円滑に進むように、被災後は施設の破損箇所を、確認シートなどを用いて整理します。そのため、確認シートは別紙としてBCPに添付しておきましょう。破損箇所を確認することで、施設内の安全を確保できたり、立ち入り禁止エリアをゴミの保管場所に設定できたりします。

確認シートの作成方法

施設の大きな設備とフロア単位の設備とに分けてシートを作成しましょう。左ページのシート例を参考に、各事業所で管理しやすいように編集して保管してください。保管場所もBCPに記載しておくとよいでしょう。

●建物・設備（施設の大きな設備）

［建物・設備］として挙げられるものとしては、エレベーターなどの大きなものと電気や水道などのライフラインがあります。［対応事項／特記事項］には「管理会社への連絡先／自家発電機の使用／備蓄している生活用水の使用」などの対応策を記載します。

●建物・設備（フロア単位）

フロア単位の設備として挙げられるものに、窓ガラス、天井、照明などがあります。各階で項目を分けてしっかりと管理しましょう。［対応事項／特記事項］には「その付近のルートを通行禁止にする／ランタンなどの代替品を使用する」などと記載します。そのほか、自事業所特有の設備があれば追加で記載しておきましょう。

平時からできること

平時から設備の点検を定期的におこない、管理会社へ点検作業を依頼しておきましょう。それと同時に、被災時に破損が心配される箇所には、ガラスの飛散フィルムを貼り付けたり、コードで吊るされた照明を固定したり、それぞれ対策しておきます。破損箇所の確認は、二次災害を防ぐことにつながりますので、確認の担当者や代行者をあらかじめ決めておきましょう。

復旧対応①

（10） 復旧対応

① 破損箇所の確認

復旧作業が円滑に進むように施設の破損箇所確認シートを整備し、別紙として添付しておく。

<建物・設備の破損箇所確認シート例>

対象		状況（いずれかに○）	対応事項/特記事項
建物・設備	躯体被害	重大／軽微／問題なし	
	エレベーター 電気 水道 電話 インターネット ・・・	利用可能／利用不可 通電 ／ 不通 利用可能／利用不可 通話可能／通話不可 利用可能／利用不可	
建物・設備（フロア単位）	ガラス キャビネット 天井 床面 壁面 照明	破損・飛散／破損なし 転倒あり／転倒なし 落下あり／被害なし 破損あり／被害なし 破損あり／被害なし 破損・落下あり／被害なし	
	・・・		

自事業所特有の設備があれば追記

・管理会社への連絡先
・具体的な対応策
・確認する担当者と代行者
などを記載

破損が想定される箇所は、平時から定期的に点検をおこない、破損防止の対策を講じましょう

平時から提携先に協力を促す

リストを作成する

安否確認や破損箇所の確認などをおこなった後、利用者の怪我などへの対応が必要となります。そのために、医療機関や保健所の連絡先一覧表を作成します。そのほかにも、建物などの崩壊、二次災害防止のための業者があれば一覧表に追加します。

リストを作成しておくことで、被災後の対応を的確に円滑におこなうことができます。地域や建物の構造によって依頼する業者は異なりますので、しっかりと確認をしておきましょう。業者の担当者などがいる場合は、氏名と個人用の会社携帯電話番号なども記載しておきましょう。早急な対応が命と業務継続に直結します。作成したリストは、紙媒体でも利用できるように事務所に置いておきましょう。

業務や用途によって分ける

連絡先一覧表をただ作成するだけで、円滑に対応できるようになるというわけではありません。医療機関や受信・相談センター、保健所といった業務に関わる内的な連絡先と、建物やエレベーター、電気、水道といった外的な連絡先に分けるとよいです。また、連絡をする担当者なども決めておき、作業を分担できるようにしておきましょう。そうすることで、被災時の混乱を招きづらくなり、より迅速な対応をすることができます。

委託業者を雇っていたり、給食を配達してもらっていたりする事業所などは、そういった業者などの連絡先も、忘れずに一覧表に記入しておきましょう。

あらかじめ連携ができるかを確認しておく

業者などは、事業所の近隣にあることも多いため、事業所が被災した際はその業者も被災していることがあります。そのため、平時に連絡をとり、災害が発生した場合に早急な対応ができるようにあらかじめ連携しておくことも重要です。

そもそも連携ができるかどうか、BCP作成時や見直しの際に確認しておきましょう。特に、汚物処理に必要な物やインターネット、食料関連は早めに連携先を決めておくとよいです。

復旧対応②

② 業者連絡先一覧の整備

円滑に復旧作業を依頼できるよう各種業者連絡先一覧を準備しておく。

業者名	連絡先	業務内容

情報発信の体制を決めて風評被害を防ぐ

自事業所が批判を受けることも

情報発信とは、関係機関や地域、マスコミなどへの説明、公表、取材対応のことを指します。記憶に新しいと思いますが、新型コロナウイルス感染症の流行によりクラスターが発生した事業所が、自事業所内のみで処理をしようと試みた結果状況がよくならず、さらには外部へ情報が漏れたことで、地域から大きな批判を受け、廃業に追い込まれたという事例が発生しました。

自然災害も同様に、情報の発信をおこなわなかったことをきっかけに地域から批判を受けてしまう可能性はあります。特に、事業所から発信した情報ではなく、外部に漏れてしまった情報が誇張されたり、間違った情報に変わったりして、周りに拡がってしまう恐れがあります。

風評被害を防ぐために

風評被害を防ぐために、情報発信は本社や法人本部などが一括しておこなうようにしましょう。そうすることで、自事業所から発信される情報の差異をなくすことができ、正確な情報のみを発信できるようになります。

また、マスコミなどの取材が来る可能性もあるので、取材などすべてを対応する代表者（理事長や管理者）を決めておきましょう。万が一、代表者が被災し取材の受付ができない場合もあるので、代行者も決めておきます。

情報発信の際に気をつけること

情報の公表にあたっては、利用者および職員のプライバシーに配慮し、風評被害を招かないように正確で丁寧な説明に努めましょう。

また、利用者の家族への説明も遅れることなく正確におこなうことで、安心させることができます。

急いで情報発信をおこなうと間違った情報を伝えてしまう可能性があり、また、発信が遅れた場合は風評被害のリスクが上がります。そのため、BCP委員会で情報発信のタイミングなどを決めておくようにしましょう。

復旧対応③

③ 情報発信（関係機関、地域、マスコミ等への説明・公表・取材対応）

公表のタイミング、範囲、内容、方法についてあらかじめ方針を定めて記載する。

1. 情報発信にあたっては、法人本部において一括して行う。
2. マスコミ等の取材については、すべて管理者が対応することとする。
3. 情報の公表にあたっては、利用者及び職員のプライバシーに配慮し、風評被害等を招かないよう、正確で丁寧な説明に努めることとする。

代行者も決めておく

発信する情報に差異が生まれないような体制

利用者・入居者の家族への
情報共有についても検討しておきましょう。
情報共有が遅くならないように、事前に
タイミングなどを決めておくとよいです。
公表のタイミングは施設・事業所で異なります。
情報を整理する前に公表しないように
気をつけましょう

他施設と連携体制を構築しておく

平時の対応としては、次のようなことがあります。他施設・他法人と協力関係を築くことが大切です。

- **近隣の介護福祉系の法人と協力関係を構築する**
- **所属している介護福祉団体を通じて協力関係を整備する**
- **自治体を通じて地域での協力体制を構築する**

また、単に連携協定書を結ぶだけではなく、普段から良好な関係をつくるよう工夫することも大切です。

在宅サービスの場合は

［4．他施設との連携］は、主に【施設サービス】が記載する項目です。【在宅サービス】の場合は、項目ごと削除していただいても構いません。

記載する内容

すでに他施設と連携中、もしくは連携を推進中である場合は、その連携協定書の内容と検討の経緯などを記載します。連携体制が構築されていれば、BCPに連携協定書の写しを添付しておきましょう。

4. 他施設との連携

（1）連携体制の構築

【在宅サービス】の場合は
本項目を割愛してもよい

① 連携先との協議

連携先と連携内容を協議中であれば、それら協議内容や今後の計画などを記載する。

他施設等との連携を行う場合、下記の項目を整理して記載する。

1．連携する事業所
2．これまでの協議の経緯
3．連携について決定している事項
　 職員の応援体制、備蓄品の相互支援等
4．今後検討すべき事項
5．今後のスケジュール

② 連携協定書の締結

地域との連携に関する協議が整えば、その証として連携協定書を締結し、写しを添付する。

他施設等との連携を行う場合、下記の項目を整理して記載する。

【連携協定の主な項目】
・連携の目的
・入所者・利用者の相互受入要領
・人的支援（職員の施設間派遣等）
・物的支援（不足物資の援助・搬送等）
・費用負担

③ 地域のネットワーク等の構築・参画

施設・事業所の倒壊や多数の職員の被災等、単独での事業継続が困難な事態を想定して、施設・事業所を取り巻く関係各位と協力関係を日ごろから構築しておく。地域で相互に支援しあうネットワークが構築されている場合はそれらに加入することを検討する。

【連携関係のある施設・法人】

施設・法人名	連絡先	連携内容
	XXX-XXXX-XXXX	

【連携関係のある医療機関（協力医療機関等）】

医療機関名	連絡先	連携内容
	XXX-XXXX-XXXX	

【連携関係のある社協・行政・自治会等】

名称	連絡先	連携内容
	XXX-XXXX-XXXX	

平時から連携先と対応を検討する

本項目について

他施設との連携については、介護施設の場合に記載します。【在宅サービス】の場合は、割愛して構いません。入所者・利用者情報の整理のパートは、【在宅サービス】でも検討が必要でしょう。

記載する内容

❶事前準備

連携協定に基づいて、被災時に相互に連携して支援できるよう検討した事項や、今後準備すべき事項などを記載します。

相手を支援するだけではなく、支援を受ける立場になった際にどうすれば円滑に相手から支援を受けられるか、を検討して準備するとよいです。

❷入所者・利用者情報の整理

利用者が避難先の施設でも適切なケアを受けることができるように、最低限必要な利用者情報を「利用者カード」にまとめます。

避難先の施設・事業所に利用者を預ける場合、必ず担当の職員が同行できるとは限りません。そのとき利用者の情報がなければ、受入先の施設でのケアの提供に支障をきたすため、避難時に備えて利用者情報を記載したカードなどを作成して、利用者とともに避難先に預ければ、リスクを低減できます。

❸共同訓練

連携先と共同でおこなう訓練概要について記載します。

津波で浸水することが想定される施設では、「津波避難所」として地域に施設を開放して、地域の方に利用者を上階へ搬送支援してもらう計画を策定することもできます。平時から、地域の方と訓練している事例もあります。

共同訓練は、将来的な検討課題としても問題ありません。

（2）連携対応

【在宅サービス】の場合は
本項目を割愛してもよい

① 事前準備

連携協定に基づき、被災時に相互に連携し支援しあえるように検討した事項や今後準備すべき事項などを記載する。

> 他施設等との連携を行う場合、下記の項目を整理して記載する。
>
> 1．連携事業所名
> 2．被災時の連絡先、連絡方法
> 3．備蓄の拡充
> 4．職員派遣の方法
> 5．入所者・利用者の受入方法、受入スペースの確保
> 6．平常時の相互交流

② 入所者・利用者情報の整理

避難先施設でも適切なケアを受けることができるよう、最低限必要な利用者情報を「利用者カード」などに、あらかじめまとめておく。

> 避難所への避難の場合、避難先施設でも、利用者が適切なケアを受けることができるよう、最低限必要な利用者情報を「利用者カード」などに、あらかじめまとめておく。
>
> 避難所への避難を想定して、避難時に速やかに持ち出せるように、持ち出す医薬品や重要書類を平常時から定めておく。また、持ち出しの担当職員も事前に決めておく。

③ 共同訓練

将来的な課題
としてもよい

連携先と共同で行う訓練概要について記載する。

> 他施設等との連携を行う場合、下記の項目を整理して記載する。町内会、商店会などと連携した訓練の実施に努めることとする。

職員の派遣や福祉避難所としての運営

本項目について

この部分も、介護施設の記載項目となります。【在宅サービス】の場合は、削除してください。

介護施設の場合は、福祉避難所の指定を受けている場合に記載します。また、指定を受けていなくても、被災時に同様の役割を担う可能性を検討しておきましょう。

（1）被災時の職員の派遣

社会福祉施設などは、職員を災害派遣福祉チームに登録して、事務局への協力と、被災時に支援活動などを積極的におこなうことが期待されています。

平時に、地域の災害福祉支援ネットワークの協議内容などについて確認して、災害派遣福祉チームのメンバーとして登録をしておくかなど、検討しておきましょう。

（2）福祉避難所の運営

❶福祉避難所の指定

福祉避難所の指定を受けた場合は、自治体との協定書を添付して、受入可能人数・受入場所・受入期間・受入条件など、諸条件を整理して記載しておきます。

仮に指定を受けていない場合でも、被災時に外部からの要援護者や近隣住民などの受け入れ要望に沿うことができるように、整理しておきます。

❷福祉避難所開設の事前準備

福祉避難所として運営できるように、事前に必要な物資の確保や施設整備などを進めます。

また、受け入れにあたっては、支援人材の確保が重要です。自施設の職員だけでなく、専門人材の支援が受けられるよう、社会福祉協議会などの関係団体や支援団体などと支援体制について協議して、ボランティアの受入方針を検討します。

5. 地域との連携

【在宅サービス】の場合は本項目を割愛してもよい

（1）被災時の職員の派遣

（災害福祉支援ネットワークへの参画や災害派遣福祉チームへの職員登録）

地域の災害福祉支援ネットワークの協議内容等について確認し、災害派遣福祉チームのチーム員としての登録を検討する。

地域の災害福祉支援ネットワークが存在する場合、その協議内容等について確認し、災害派遣福祉チームのチーム員としての登録を検討する。

（2）福祉避難所の運営

① 福祉避難所の指定
福祉避難所の指定を受けた場合は、自治体との協定書を添付するとともに、受入可能人数、受入場所、受入期間、受入条件など諸条件を整理して記載する。

社会福祉施設の公共性を鑑みれば、可能な限り福祉避難所の指定を受けることが望ましいが、仮に指定を受けない場合でも被災時に外部から要援護者や近隣住民等の受入の要望に沿うことができるよう上記のとおり諸条件を整理しておく。

必要に応じて記入

② 福祉避難所開設の事前準備
福祉避難所として運営できるように事前に必要な物資の確保や施設整備などを進める。

また、受入にあたっては支援人材の確保が重要であり、自施設の職員だけでなく、専門人材の支援が受けられるよう社会福祉協議会などの関係団体や支援団体等と支援体制について協議し、ボランティアの受入方針等について検討しておく。

福祉避難所として受け入れる状況があることを想定して、運営に必要な物資の確保や施設整備などを進める。 受入の場合、支援人材の確保が重要であり、自施設の職員だけでなく、専門人材の支援が受けられるよう社会福祉協議会などの関係団体や支援団体等と支援体制について協議し、ボランティアの受入方針等について検討する。

通所サービスの固有事項

平時の対応

台風などは、天気予報や警報で予測ができますので、担当の居宅介護支援事業所と相談して、「その日の利用を前倒しする」「その日は臨時休業とする」などの事前対策をとりましょう。

しかし、地震や局地的な集中豪雨などの事前予想は困難です。サービス提供中に被災した場合に備えて、利用者家族や病院などの緊急連絡先、複数の連絡先や連絡手段（固定電話、携帯電話、メールなど）を把握しておきます。また、居宅介護支援事業所と連携して、在宅の利用者の安否確認方法などをあらかじめ整理しておきます。

平時から、地域の避難方法や避難所に関する情報を事前確認して、地域の関係機関（行政、自治会、職能・事業所団体など）と良好な関係をつくるようにすることが必要です。

災害が予想される場合の対応

台風など事前に甚大な被害が予想される場合は、当日の通所サービスの休止や時間の短縮を余儀なくされることが想定されます。あらかじめBCPに「休止」や「時間短縮」の基準を定めて記載しておきます。

居宅介護支援事業所にも、その基準などを情報共有したうえで、利用者やその家族にも事前に説明します。そのうえで、必要に応じてサービスの前倒しなども検討します。

サービス提供中に被災した場合の対応

サービス提供中に被災した場合は、第一に利用者の安否確認をおこない、あらかじめ把握している緊急連絡先を活用して、利用者家族などへ安否状況の連絡をおこないます。このとき、一時的に電話回線がパンクして、電話が利用できない状況も想定されます。事前に把握しているメールやLINE、SNSなど複数の方法で連絡を試みましょう。

利用者の安全確保を最優先に状況を把握して、家族への連絡状況を踏まえて、順次利用者の帰宅を支援します。可能であれば利用者家族の迎えなどの協力も依頼しましょう。

帰宅困難時の対応

平成30年7月の西日本豪雨では、野呂川ダムの緊急放水によって、各地の被害が拡大しました。令和3年8月の中国・九州地方の集中豪雨では、西日本豪雨の雨量を超えた地域もあり、多くの地域で冠水や土砂崩れが発生しました。

台風などには比較的敏感な方が多いですが、大雨については危機意識が若干薄いことがあります。そのため、デイサービスの休業の判断が遅れ、利用者は事業所で被災する可能性もあります。

想定外の大雨やダムの緊急放水などで河川が氾濫して道路が冠水した場合や、地震で道路が陥没や隆起した場合、液状化で道路が波打っている場合などには、デイサービスの送迎車の利用が困難なことも想定されます。そういったときに利用者をいかにして帰宅させるか、その手段を検討します。状況によっては、事業所での宿泊や近くの避難所への移送も考慮しなければなりません。冠水や道路自体に被害が出ている場合は、利用者家族の迎えも期待できないでしょう。

事業所での宿泊対応

BCPでは最悪の状況を想定して対策を検討しなければなりません。デイサービスにおける最悪の状況のひとつに「道路の冠水などで送迎車が利用できず、事業所での宿泊を余儀なくされること」があります。このようなときのために、次のことを検討しておきましょう。

- **デイサービスでは人数分の寝袋などの寝具は準備されているか**
- **停電や断水などの際のために、非常食や衛生用品、ランタンなどの簡易な照明器具の備蓄はおこなわれているか**
- **水洗トイレの代わりとなる簡易トイレなどは準備されているか**

特に必要と判断される備蓄品は改めて購入を検討する必要があるでしょう。可能であれば、自家発電機などの準備も必要かもしれません。緊急連絡や情報収集のために活用するスマホやノートパソコンの充電用に、自動車のバッテリーから充電できるコンバーターなどの購入も検討します。

訪問サービスの固有事項

平時の対応

サービス提供中に被災した場合に備えて、平時から緊急連絡先や連絡手段（固定電話、携帯電話、メールなど）を把握しておきます。居宅介護支援事業所と連携して、利用者への安否確認の方法などをあらかじめ検討しましょう。

被災した際、職員が利用者宅を訪問中または移動中であることも想定しなければなりません。サービス提供中に被災したときの利用者への支援手順や、移動中の場合における対応方法もあらかじめ検討します。

利用者の避難先においてサービスを提供することも想定されますので、平時から地域の避難方法や避難所に関する情報に留意しましょう。地域の関係機関（行政、自治会、職能・事業所団体など）と良好な関係をつくるよう工夫することも大切です。

災害が予想される場合の対応

台風などで、事前に甚大な被害が予想される場合は、サービスの休止・縮小を余儀なくされることを想定して、あらかじめその基準を定めておきます。

居宅介護支援事業所と情報共有したうえで、利用者やその家族にも説明しておきましょう。必要に応じ、サービスの前倒しなども検討します。

サービス提供中に被災した場合の対応

介護サービス提供中に被災した場合、事業所と連絡が取れずに、介護職員が自ら判断を求められるケースもあります。被災後は、速やかに事業所に戻るという選択をとるかどうかも考えておかなければなりません。

また、重度者で自力での避難が困難な場合の対応なども検討しておきましょう。「そこに留まって家族の帰宅を待つのか」「状況によっては利用者とともに避難所に向かうのか」など、さまざまなケースを想定しなければなりません。

これらの判断基準をBCPに記載して、研修や訓練で全職員に浸透させましょう。

また、利用者の食料や衛生用品などの備蓄状況も把握して、不足した場合の対応方法も検討しておくべきです。状況によっては、訪問サービス事業所で備蓄しているものを届けるなどの方法が可能か、事前に考えておくとよいです。

サービスを休止する

やむを得ずサービス提供を長期間休止する場合は、居宅介護支援事業所と連携して、（必要に応じて）他事業所の訪問サービスなどへの変更を検討します。

あらかじめ検討した方法に基づいて、安否確認や、利用者宅を訪問中または移動中の場合の対応をおこないます。

居宅介護支援事業所などと連携したうえで、可能な場合には、利用者の避難先においてサービスを提供しましょう。

訪問看護などの場合

訪問看護や訪問リハビリテーションなどの場合は、利用者の状況や不足物資などの情報をまとめておきましょう。

担当のケアマネジャーや訪問介護サービスへ引継ぎするための連絡方法も事前に検討しておきます。

「通所サービス固有事項」や
「訪問サービス固有事項」
については、
BCPのひな型にも同様の内容が
記載されています。
そちらを読みながら、
作成を進めていただいても
構いません

居宅介護支援サービスの固有事項

平時の対応

被災時に優先的に安否確認が必要になる利用者を事前に検討し、利用者台帳などで情報がわかるようにしておきます。緊急連絡先の把握では、複数の連絡先や連絡手段（固定電話、携帯電話、メールなど）を把握しておきましょう。

平時から地域の避難方法や避難所に関する情報に留意して、地域の関係機関（行政、自治会、職能・事業所団体など）と良好な関係を構築しましょう。そのうえで、災害に伴い発生する安否確認やサービス調整業務に対応できるように、ほかの居宅介護支援事業所、居宅サービス事業所、地域の関係機関と事前に話し合っておきます。

また、利用者の避難先で薬に関する情報が参照できるように、利用者にお薬手帳を持参するように指導をおこなっておきます。

災害が予想される場合の対応

訪問サービスや通所サービスが設定した「台風などの場合でのサービスの休止・縮小基準」について、居宅介護支援サービスでも事前に把握しておきます。必要に応じて、サービスの前倒しなども検討します。

自サービスも、台風などで休止・縮小を余儀なくされることを想定して対応方法を定めておくとよいです。ほかの居宅介護支援事業所、居宅サービス事業所、地域の関係機関と共有したうえで、利用者やその家族にも説明しておきましょう。

災害発生時の対応

災害発生時に事業を継続できる場合には、可能な範囲で個別訪問などをおこなって早期に状態を把握します。【在宅サービス】の実施状況を把握して、被災生活によって状態の悪化が懸念される利用者に対して必要な支援が提供されるように、居宅サービス事業所、地域の関係機関との連絡調整などをおこないます。

代替サービスの検討

通所・訪問サービスが長期間休止する場合は、必要に応じて他事業所の通所サービスや、訪問サービスなどへの変更を検討します。

通所サービスは休業を選択することが想定されるため、訪問サービスなどへの変更を想定することが多いですが、訪問サービスは担当者が有資格者であることが原則のため、キャパシティに限りがあります。そのため、通所サービス利用者すべてに代替サービスを提供できるという状態は希です。

特例措置も把握しておく

このような場合に備えて、災害特例措置を調べておくことも重要です。執筆現在公開されている「新型コロナウイルス感染症に関する特例措置」では、訪問介護員が不足する場合は、初任者研修修了者などの資格がなくても、過去に介護施設などで実務経験があり事業所で問題ないと判断した場合、無資格者の訪問サービスの提供が可能になっています。

また、通所介護の資格を持たない介護職員でも訪問サービスを提供できるようになる特例もあります。そのため、休業するデイサービスに、介護職員の訪問サービス提供を依頼することも検討できます。こういった特例も、BCPに記載しておきましょう。

施設併設の在宅サービスの場合の基本文例

・**認知症対応型通所介護**については、被災時において介護施設職員の出勤状況が不足する場合には、一時的に休業を選択して、認知症対応型通所介護職員は、介護施設に勤務シフトし、人員不足を補うものとする。介護施設職員の出勤状況が、最低限のサービス提供に支障がないまでに解消された時点で、速やかに再開するものとする。休業が長期に及ぶ可能性がある場合には、担当のケアマネジャーと早期に協議して、訪問サービスなどへの切り替えをおこなう。

・**定期巡回随時対応型訪問介護看護**は、地域において在宅で介護を受ける高齢者のライフラインとなるサービスである。被災時は、軽度者へのサービスを縮小し、重度で独居の利用者を中心に、可能な限りの介護サービスを提供する。被災直後は、介護施設の職員が極端に不足することを想定して、重度者担当以外の担当職員は介護施設の職員に勤務をシフトして、職員不足に対応する。

・**看護小規模多機能型居宅介護**は、地域において在宅で介護を受ける高齢者のライフラインとなるサービスである。被災時は、軽度者へのサービスを縮小し、重度で独居の利用者を中心に、可能な限りの介護サービスを提供する。被災直後は、介護施設の職員が極端に不足することを想定して、重度者担当以外の担当職員は介護施設の職員に勤務をシフトして、職員不足に対応する。

・**小規模多機能型居宅介護**は、地域において在宅で介護を受ける高齢者のライフラインとなるサービスである。被災時は、軽度者へのサービスを縮小し、重度で独居の利用者を中心に、可能な限りの介護サービスを提供する。被災直後は、介護施設の職員が極端に不足することを想定して、重度者担当以外の担当職員は介護施設の職員に勤務をシフトして、職員不足に対応する。

・**短期入所生活介護**については、入所中の利用者は帰宅を検討し、居宅の状況や家族からの希望を勘案して、継続入所も受け入れる。新規の受入は、職員の出勤状況がほぼ平時に回復するまでは停止とする。

・**短期入所療養介護**については、入所中の利用者は帰宅を検討し、居宅の状況や家族からの希望を勘案して、継続入所も受け入れる。新規の受入は、職員の出勤状況がほぼ平時に回復するまでは停止とする。

・**福祉用具貸与**は、被災直後に於いては、利用者の安否確認、担当事業所との連絡調整を中心に、業務内容を縮小しておこなう。その他の時間は、介護施設の勤務シフトに入り、施設の人員不足を補うものとする。

施設併設の在宅サービスの場合の基本文例

・**訪問介護**は、地域において在宅で介護を受ける高齢者のライフラインとなるサービスである。被災時は、軽度者へのサービスを縮小し、重度で独居の利用者を中心に、可能な限りの介護サービスを提供する。被災直後は、介護施設の職員が極端に不足することを想定して、重度者担当以外のヘルパーは介護施設の職員に勤務をシフトして、職員不足に対応する。

・**訪問看護**は、地域において在宅で介護を受ける高齢者のライフラインとなるサービスである。被災時は、軽度者へのサービスを縮小し、重度で独居の利用者を中心に、可能な限りの介護サービスを提供する。被災直後は、介護施設の職員が極端に不足することを想定して、重度者担当以外のヘルパーは介護施設の職員に勤務をシフトして、職員不足に対応する。

・**訪問リハビリテーション**については、被災時において介護施設職員の出勤状況が不足する場合には、一時的に休業を選択して、訪問リハビリテーション職員は、介護施設に勤務シフトし、人員不足を補うものとする。介護施設職員の出勤状況が、最低限のサービス提供に支障がないまでに解消された時点で、速やかに再開するものとする。休業が長期に及ぶ可能性がある場合には、担当のケアマネジャーと早期に協議して、訪問サービスなどへの切り替えをおこなう。

・**居宅介護支援事業所**は、被災直後においては、利用者の安否確認、担当事業所との連絡調整を中心に、業務内容を縮小しておこなう。そのほかの時間は、介護施設の勤務シフトに入り、施設の人員不足を補うものとする。

・**通所リハビリテーション**については、被災時において介護施設職員の出勤状況が不足する場合には、一時的に休業を選択して、通所リハビリテーション職員は、介護施設に勤務シフトし、人員不足を補うものとする。介護施設職員の出勤状況が、最低限のサービス提供に支障がないまでに解消された時点で、速やかに再開するものとする。休業が長期に及ぶ可能性がある場合には、担当のケアマネジャーと早期に協議して、訪問サービスなどへの切り替えをおこなう。

・**通所介護サービス**は、被災直後は、介護施設における極端な職員不足が想定される。施設スタッフの出勤率が安定するまでの期間は、通所介護サービスを休業として、通所サービスの職員で出勤可能な者は、介護施設に勤務シフトする。その間において、継続した介護サービスの提供が必要な利用者に対しては、ケアマネジャーと連携して、訪問サービスに切り替えるなどの対応を取る。施設サービスの職員出勤率が80%程度となるまでは休業を継続する。

COLUMN

BCPのメリット「業務改善」

平時の業務の効率化にもつながる

BCPとは、自然災害や感染症によって出勤できる職員が大きく減ったときに、残った職員だけでいかに介護サービスを継続するかを計画に落とし込んだものです。

平時は2名体制で担当する業務であっても、被災時にはその業務に2名配置できないことがよくあります。そのため、BCPに記入する際には1名や1・5名での業務実施を検討しましょう。どうしても2名で提供しなければならないという結論に達した場合は、ほかの業務の人員を見直しましょう。こういった検討は、結果的に業務の効率化につながります。

訓練などをとおして気づきを得ることも

また、BCPにおける研修や訓練は、日常の業務を見直す機会にもなります。日頃は全く気づかずにおこなっている「施設内の暗黙のルール」などが課題として出てくることもあるでしょう。研修や訓練は、そういった「平時だと気づかないこと」に対して、疑問を投げかける機会にもなります。

BCP作成で平時の動きも変わってくる

BCPは、被害が出た場合の最悪な状況を想定して作成します。たとえば、被災時にエレベーターが止まってしまった場合、どのようにすれば利用者や職員が効率的に移動できるかを検討するかと思います。すると、人の動線なども変わってくるでしょう。BCPを作成することで、いままで当たり前だったことを、根本から見直す機会になるのです。

第3章

感染症BCP

BCPの目的・基本方針・主管部門を決める

記載する内容

自然災害ＢＣＰのひな型と異なり、感染症ＢＣＰのひな型には、事前に［1. 目的］［2. 基本方針］が記載されています。ひな型の内容で問題なければ、このまま使用することをおすすめします。

［3. 主管部門］には、ＢＣＰの作成を担当し、今後の研修や訓練、見直しを管理する部署名を記載してください。

職員を守ったうえでの介護サービス

自然災害同様に、感染症の場合の基本方針を定めます。①利用者（入所者）の安全確保、②サービスの継続（組織）、③職員の安全確保、の3つの観点から基本方針を取りまとめます。

自然災害ＢＣＰでもふれましたが、利用者・組織・職員の順に重要性が高いという認識は間違いです。一番大切なのは自分自身（職員）、次に現場（組織）、最後に生存者（利用者）と続きます。

いくら徹底した感染対策をおこなっても、クラスターが発生した場合、まずは自分たちを守ることを最重要と考えるべきです。職員が安全を確保できてこその介護であり、対策です。

個人プレーは禁止

次に重要なのは、組織的な介護サービスの継続です。介護は個人でおこなうものではなく、介護施設や介護事業所として組織的におこなうものです。特に、被災した状況ではスタンドプレーは厳禁で、定められたルールのもとでおこなうべきです。

これらの要素を満たしたうえで、利用者・入所者への介護サービスの提供を継続すべきです。介護は個人でおこなうものではなく、組織的におこなうものです。身勝手な職員の個人プレーで職員に感染が拡大することは、絶対に避けなければなりません。

❯❯❯ 総則（在宅サービス・居宅介護支援サービスの場合） ❮❮❮

第Ⅰ章　総則

そのまま
利用してもよい

1．目的

本計画は、新型コロナウイルス感染症の感染者（感染疑いを含む）が事業所内で発生した場合においても、事業を継続するために当事業所の実施すべき事項を定めるとともに、平時から円滑に実行できるよう準備すべき事項を定める。

2．基本方針

本計画に関する基本方針を以下のとおりとする。

① 利用者の安全確保	利用者は重症化リスクが高く、集団感染が発生した場合、深刻な被害が生じるおそれがあることに留意して感染拡大防止に努める。
② サービスの継続	利用者の健康・身体・生命を守る機能を維持する。
③ 職員の安全確保	職員の生命や生活を維持しつつ、感染拡大防止に努める。

BCP作成、研修、訓練、BCP見直しの管理をおこなう部署

3．主管部門

本計画の主管部門は、BCP委員会とする。

❯❯❯ 総則の［2．基本方針］（施設サービスの場合） ❮❮❮

① 利用者の安全確保	入所者は重症化リスクが高く、集団感染が発生した場合、深刻な被害が生じるおそれがあることに留意して感染拡大防止に努める。
② サービスの継続	入所者の生命、身体の安全、健康を守るため最低限必要となる機能を維持する。
③ 職員の安全確保	職員の生命を守り、生活を維持しつつ、感染拡大防止に努める。

【施設サービス】では、
［2．基本方針］②を色文字のように
記載するとよいでしょう

平時からの体制を決定する

メンバーを決める

［体制構築・整備①］に記載するメンバー表は、自然災害BCPと同じもので構いません。BCP完成後は、研修、訓練、見直しをおこなうための組織（メンバー）となるため、同一メンバーのほうが運用しやすいです。

ただし、感染症対策指針の研修・訓練と感染症BCPの研修・訓練は一体的に実施できますので、組織内に感染対策委員会などがある場合はそのメンバーとしても構いません。

感染症対策指針との違い

感染症BCPは、施設・事業所内で感染者が発生し、クラスターとなった場合の対応策が中心となります。この点が、感染症対策指針との大きな違いです。

感染症対策指針と被る部分も多いですが、根本的な違いがあります。それは「作成の目的」です。

感染症BCPは、介護事業を運営する法人が、感染症によって収束まで長期にわたるクラスターが発生しても、倒産や廃業、事業の縮小に追い込まれることなく業務を継続することを最大の目的としています。それは、介護事業は地域の高齢者のライフラインとして、介護サービスの継続的な提供が求められるからです。感染状況が悪化して休業を余儀なくされることもあると思います。そういった場合に備えて、事前にほかの事業所との協力関係などを検討しておきます。

感染症対策指針は、感染予防とクラスターの防止が主な目的です。感染症対策指針も、BCP同様に令和6年4月から義務化されます。そのため、同時進行で作成するとよいかもしれません。

体制構築・整備①（在宅サービスの場合）

1 対応主体

BCP委員会の統括のもと、関係部門が一丸となって対応する。

2 対応事項

対応事項は以下のとおり。

<table>
<tr><th>項目</th><th>対応事項</th></tr>
<tr><td>（1）体制構築・整備①</td><td>（1）体制構築・整備①

BCP委員長の統括のもと関係部門が一丸となって対応する。

●全体を統括する責任者：
代行者：</td></tr>
</table>

主な役割	部署・役職	氏名	補足
委員長	管理者		
副委員長			
委員			
委員			
委員			
委員			
委員			

居宅介護支援サービス、施設サービスでは
それぞれ次のような部署・役職のものを記載する

●居宅支援サービス
・管理者
・主任ケアマネジャー
・ケアマネジャー

感染症BCPと感染症対策指針との違いに
ついては、21ページでもふれています

施設の規模が大きい場合の体制

研修などがおこないやすい組織形態にする

介護施設の場合は、規模も職員数も大きくなるため、【在宅サービス】とは異なる管理組織となります。また、総括責任者（災害対策本部長）を「理事長」とする場合も多いです。ここは、法人全体で構築しても構いません。

委員会を効率的に開催して、BCP完成後の研修、訓練、見直しを定期的におこないやすい体制にしましょう。

感染症BCPの研修・訓練

作成されたBCPは、緊急時に発動して速やかな対策を実施することが役割です。そのためには、定期的に研修と訓練を実施し、BCPの内容をすべての職員のからだに染みこませておきましょう。

このとき、感染症BCPと自然災害BCPは、それぞれ分けておこなう必要があります。ただし、BCPと同じく義務化された「感染症対策指針」の研修と訓練は、感染症BCPと一緒に実施することが可能です。これは、感染症対策指針と感染症BCPの平時の対応の多くの部分で内容が被っていることからの措置です。

研修・訓練のポイント

BCPの訓練は、緊急時の状況をシミュレーションしたうえで実施します。同日に研修と訓練を実施したほうが有効的です。その際には、研修と訓練を同じテーマでおこなうことで、体系的に身につけることができます。

研修では、担当者がファシリテーターとして講義を進め、訓練の実施方法と目的も説明します。そのうえで訓練を実施し、終了後は意見交換会を開催して、BCPの内容の改善点や見直すべきポイントを共有します。必要に応じてBCPの内容を見直していきましょう。

体制構築・整備①（施設サービスの場合）

1 対応主体

BCP委員会の統括のもと、関係部門が一丸となって対応する。

研修や訓練を円滑におこなえる体制を意識する

2 対応事項

対応事項は以下のとおり。

項目	対応事項
（1）体制構築・整備①	（1）体制構築・整備① 災害対策本部長（理事長　　　　）の統括のもと関係部門が一丸となって対応する。 ●全体を統括する責任者：理事長 代行者：管理者

主な役割	部署・役職	氏名	補足
委員長	施設長		
副委員長	事務長		
委員	看護師長		
委員	相談員		
委員	[illegible]		
委員	[illegible]		
委員	[illegible]		
委員	[illegible]		

感染者が発生した場合の体制を考える

自事業所用にアレンジする

BCPは「被災時や感染症発生時に素早くやるべきこと」を把握するために作成します。緊急事態発生時に業務マニュアルのような長文を読んで理解する時間はありません。できる限りシンプルに、見てすぐにわかる記載方法がベストといえます。

［体制構築・整備②］の表については、「いつ」「どこへ」「なにを」「どのように」と一覧性を持たせたフォーマットが厚生労働省から出ていますので、それを活用します。

必要がないと自事業所で判断した動きは削除し、必要な動きは追加していきましょう。

感染疑い者が発生した場合の対処

利用者や職員に次の症状がみられた場合に、新型コロナウイルス感染症を疑って対応します。

- **息苦しさ（呼吸困難）**
- **強いだるさ（倦怠感）**
- **高熱などの強い症状**
- **発熱、咳、頭痛などの比較的軽い風邪症状**

また、新型コロナウイルス感染症の初期症状として、嗅覚障害や味覚障害を訴える患者がいることが明らかになっています。

●利用者に対して

利用者の様子を見たときに「普段と違う」と感じた場合は、速やかに医師などに相談するように、職員に指示します。

●職員に対して

職員は「風邪の症状や発熱などの症状が認められる場合には出勤しない」ということを徹底しなければなりません。感染が疑われる場合は、主治医や地域の身近な医療機関、受診・相談センターなどに連絡し、指示を受けることを徹底しましょう。

「濃厚接触者」と判断された場合は、新型コロナウイルス感染症に感染している可能性があるため、患者（感染した者）と接触したあと2週間は健康状態に注意を払い（健康観察）、外出は自粛するなど、保健所の指示に従うことになります。患者の同居家族は基本的に濃厚接触者と判断されます。

すなわち、職員が濃厚接触者となった場合、2週間は出勤できないため、介護サービスの提供に大きな支障を生じさせることとなります。

体制構築・整備②（在宅サービスの場合）

ひな型の内容以外に、自施設・事業所で必要と判断した動きは適宜追加

区分	誰が 連絡者	いつ タイミング	どこへ 連絡先	何を 情報の内容	どのように 連絡方法	留意点
第一報						
第一報	担当者	即時。夜間は判断要	医療機関、受診・相談センター	感染疑い者の情報	電話	管理者に連絡してから電話する
第一報	管理者	連絡後即時	施設内	BCPの発動または参集依頼	電話、LINE	BCPの発動を判断する。必要に応じて職員の参集を指示
第一報	管理者	連絡後即時	法人内（法人窓口者）	感染疑い者の情報	電話	

ひな型の内容のまま使えるものは、そのまま使用してよい

切れている部分については、ダウンロード資料として提供しているひな型をご覧ください

フローチャートで体制を把握する

フローチャートを活用する

介護施設は、在宅サービスと異なり「クラスター発生」という問題があります。また、規模が大きいため、連絡先、連携先、利害関係者の数も格段に多くなります。そのため、一目で連絡先や確認体制がわかるように、フローチャートで示すことをおすすめします。

ＢＣＰ作成の初期段階では、厚生労働省が提示しているフローチャートをそのまま貼り付けても大丈夫です。

研修、訓練、見直しを定期的におこなうなかで、自施設独自のフローチャートに改良していきましょう。

参考になる資料など

いくら優れたＢＣＰであっても、いざというときに機能しなければ、それは単なる絵に描いた餅です。日頃からゾーニングや衛生管理の方法を、研修や訓練を通して身につけておくことで、クラスターが発生した場合でも職員が自ら身を守れます。こういったことを、すべての職員が理解しておくことが重要です。

新型コロナウイルスを対象とした通知『高齢者施設における施設内感染対策のための自主点検について』のなかにある「新型コロナウイルス感染症感染者発生シミュレーション～机上訓練シナリオ～」（厚生労働省）なども、訓練計画を立てるときの参考にしてみてください（129ページ）。

施設でクラスターが発生したときの最大の経営リスクは、職員の多くが濃厚接触者に認定されることです。濃厚接触者に認定されると、ＰＣＲ検査が陰性でも2週間は自宅待機を余儀なくされます。

執筆時点では「5日間の自宅待機」とされていますが、あくまでも特例的な措置です。全く別のウイルスが発生した場合は、2週間の自宅待機となることが予想されますので、感染症ＢＣＰにはそのように記載しておきましょう。

体制構築・整備②（施設サービスの場合）

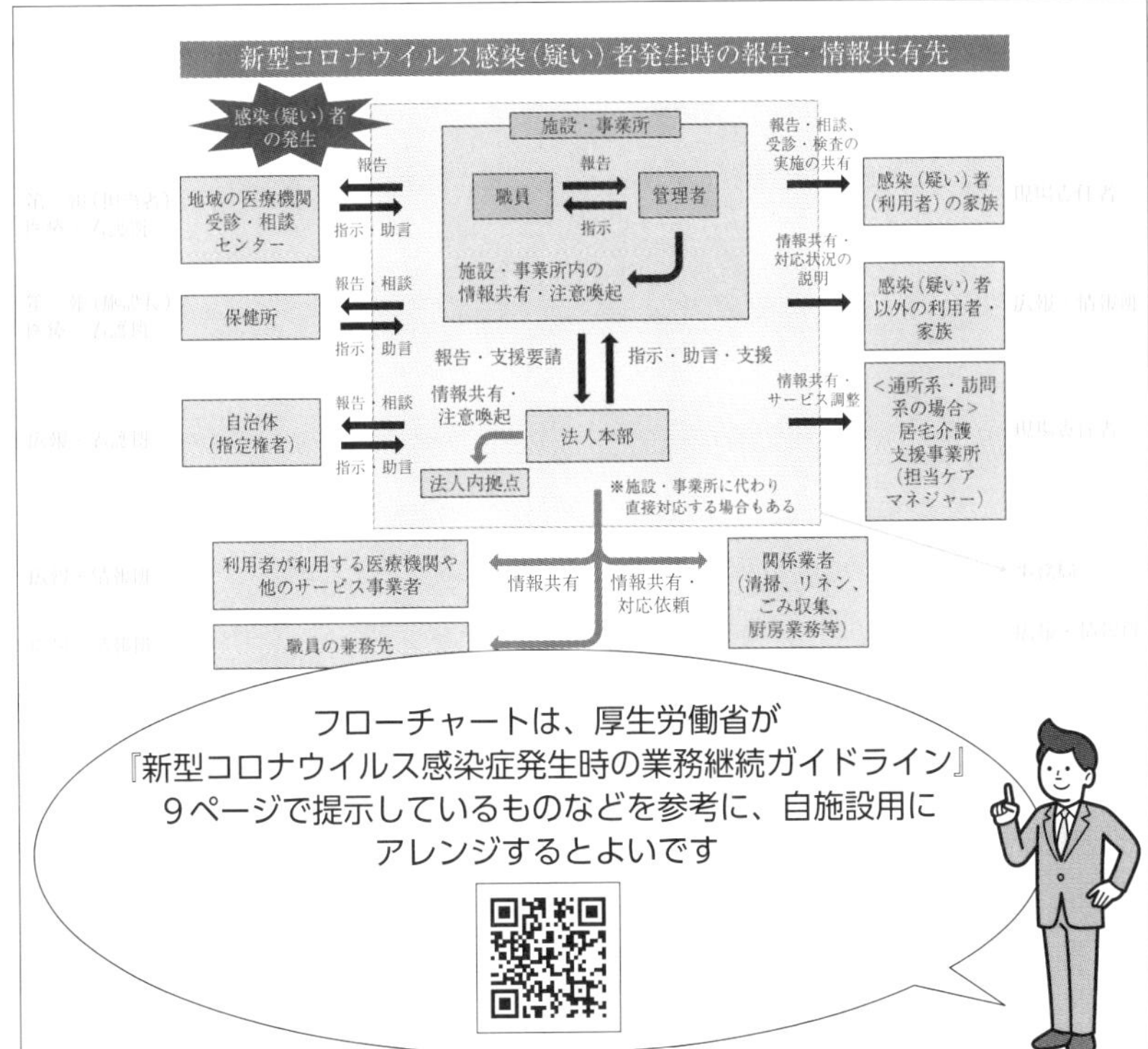

区分	誰が 連絡者	いつ タイミング	どこへ 連絡先	何を 情報の内容	どのように 連絡方法	留意点
第一報						
第一報						
第一報						
第一報						
第一報						
第一報						
第一報						

日頃から職員が「感染防止意識」を持てるようにする

5類移行で意識が薄れる可能性

令和5年5月8日より新型コロナウイルス感染症の位置づけが「感染症2類（結核、SARSなど）」相当から「5類（季節性インフルエンザなど）」に移行されました。テレビのニュースでも徐々に取り上げられないようになっていることから、少しずつ意識が薄くなっていることが予測されます。

とはいうものの、感染症は今後も続きます。感染に気を付けつつ、咳やくしゃみなどの症状が続いている場合にはマスクの着用などの「咳エチケット」を心がけましょう。

常日頃から施設内で情報共有を

職員に注意喚起をしていくためにも、まずできることとしては、市町村の感染症の状況（感染者数、先週からの増減）などを職員に周知することがあります。

また、感染症はどこから施設内に入ってくるかわかりません。検温・換気の徹底、ドアノブなどをはじめ日頃手に触れるものに関しては消毒を徹底するルールを設定し、実行し続けることも重要になってきます。

目に触れさせ、行動させせよ！

感染症防止について、まずは朝礼や申し送りで話題に出していくとよいです。また、スタッフルームやアプリなどで、厚生労働省の最新情報などを共有してもよいでしょう。ある施設ではBCPの発動基準や安否確認訓練などについて、アプリを通じて共有・実施しているところもあります。

常日頃から「自分ごと」として捉えてもらう機会をつくることは、感染症防止以外にも重要になってきますので、まずはできるところから実践してみてください。

感染防止に向けた取組の実施（在宅サービスの場合）

必要な情報収集と感染防止に向けた取組の実施

（2－1）新型コロナウイルス感染症に関する最新情報（感染状況、政府や自治体の動向等）の収集

日頃から職員に共有

●管理者が以下の情報収集と事業所内共有を行う。

●厚生労働省、都道府県、市区町村、関連団体のウェブサイトから最新の情報を収集する。

厚生労働省「新型コロナウイルス感染症について」：
https://www.mhlw.go.jp/stf/seisakunitsuite/bunya/0000164708_00001.html

都道府県の新型コロナウイルス感染症のウェブサイト

●関係機関、団体等からの情報を管理・利用する。

●必要な情報は、事業所内で共有・周知する。
ミーティングで伝達し、情報を掲示する。
重要な情報は、マニュアル化し、教育を実施して徹底する。

（2－2）基本的な感染症対策の徹底

●感染防止に向けた取組を参考に対策を徹底する。

・利用者、職員は日々健康管理を実施し記録する。感染が疑われる場合には即連絡する。
・ソーシャルディスタンスを保つ生活を行う。マスクを着用する。
・事業所入口に消毒液を置き、事業所内に入る時は職員全員が手指の消毒を行う。
・定期的にテーブル、手摺、ドアノブ、照明スイッチなど多くの人が触れる箇所の消毒を行う。
・窓開け、機械換気などで換気を行う。
・不要不急な会議、研修、出張は中止、延期する。
・業者の事業所への立ち入りの際は、体温を計測し、発熱や咳などを確認し、記録を残す。
・感染防止マニュアルを作成し、教育を実施する。管理者はルールが守られているかを確認する。

●厚生労働省「介護事業所等向けの新型コロナウイルス感染症対策等まとめページ」
https://www.mhlw.go.jp/stf/seisakunitsuite/bunya/hukushi_kaigo/kaigo_koureisha/taisakumatome_13635.html

●介護職員のための感染対策マニュアル。

職員・入所者の体調管理

●職員、利用者・利用者の日々の体調管理を行う。

【様式３】職員、入所者・利用者 体温・体調チ

厚生労働省が提供している「様式ツール集」よりダウンロードしたのち入力。その後、印刷をしてBCPに添付しておく

「様式ツール集」
（厚生労働省）

必要な情報収集と感染防止に向けた取組の実施

（２－１）新型コロナウイルス感染症に関する最新情報（感染状況、政府や自治体の動向等）の収集

●管理者が以下の情報収集と事業所内共有を行う。

●厚生労働省、都道府県、市区町村、関連団体のウェブサイトから最新の情報を収集する。

厚生労働省「新型コロナウイルス感染症について」：
https://www.mhlw.go.jp/stf/seisakunitsuite/bunya/0000164708_00001.html

都道府県の新型コロナウイルス感染症のウェブサイト
（都道府県の新型コロナウイルス感染症のウェブサイトのＵＲＬを記入）

●関係機関、団体等からの情報を管理・利用する。

●必要な情報は、事業所内で共有・周知する。
ミーティングで伝達し、情報を掲示する。
重要な情報は、マニュアル化し、教育を実施して徹底する。

（２－２）基本的な感染症対策の徹底

●感染防止に向けた取組を参考に対策を徹底する。
感染症対策マニュアル参照
・利用者、職員は日々健康管理を実施し記録する。
感染が疑われる場合には即連絡する。
・ソーシャルディスタンスを保つ生活を行う。マスクを着用する。
・事業所入口に消毒液を置き、事業所内に入る時は職員全員が手指の消毒を行う。
・定期的にテーブル、手摺、ドアノブ、照明スイッチなど多くの人が触れる箇所の消毒を行う。
・窓開け、機械換気などで換気を行う。
・不要不急な会議、研修、出張は中止、延期する。
・業者の事業所への立ち入りの際は、体温を計測し、発熱や咳などを確認し、記録を残す。
・感染防止マニュアルを作成し、教育を実施する。
管理者はルールが守られているかを確認する。

●厚生労働省「介護事業所等向けの新型コロナウイルス感染症対策等まとめページ」
https://www.mhlw.go.jp/stf/seisakunitsuite/bunya/hukushi_kaigo/kaigo_koureisha/taisakumatome_13635.html

●介護職員のための感染対策マニュアル。

職員・入所者の体調管理

●職員、利用者・利用者の日々の体調管理を行う。

【様式３】職員、入所者・利用者 体温・体調チェックリストを印刷して用いる。

感染防止に向けた取組の実施（施設サービスの場合）

必要な情報収集と感染防止に向けた取組の実施

（2－1）新型コロナウイルス感染症に関する最新情報（感染状況、政府や自治体の動向等）の収集

●施設長が以下の情報収集と事業所内共有を行う。

●厚生労働省、都道府県、市区町村、関連団体のウェブサイトから最新の情報を収集する。

厚生労働省「新型コロナウイルス感染症について」：
https://www.mhlw.go.jp/stf/seisakunitsuite/bunya/0000164708_00001.html

都道府県の新型コロナウイルス感染症のウェブサイト
〔都道府県の新型コロナウイルス感染症のウェブサイトのURLを記入〕

●関係機関、団体等からの情報を管理・利用する。

●必要な情報は、事業所内で共有・周知する。
ミーティングで伝達し、情報を掲示する。
重要な情報は、マニュアル化し、教育を実施して徹底する。

（2－2）基本的な感染症対策の徹底

●感染防止に向けた取組を参考に対策を徹底する。
感染症対策マニュアル参照
・入所者、職員は日々健康管理を実施し記録する。感染が疑われる場合には即連絡する。
・ソーシャルディスタンスを保つ生活を行う。マスクを着用する。
・施設入口に消毒液を置き、施設内に入る時は職員全員が手指の消毒を行う。
・定期的にテーブル、手摺、ドアノブ、照明スイッチなど多くの人が触れる箇所の消毒を行う。
・窓開け、機械換気などで換気を行う。
・不要不急な会議、研修、出張は中止、延期する。
・業者の施設への立ち入りの際は、体温を計測し、発熱や咳などを確認し、記録を残す。
・感染防止マニュアルを作成し、教育を実施する。管理者はルールが守られているかを確認する。

●厚生労働省「介護事業所等向けの新型コロナウイルス感染症対策等まとめページ」
https://www.mhlw.go.jp/stf/seisakunitsuite/bunya/hukushi_kaigo/kaigo_koureisha/taisakumatome_13635.html

●介護職員のための感染対策マニュアル。

職員・入所者の体調管理

●職員、利用者・利用者の日々の体調管理を行う。

【様式3】職員、入所者・利用者 体温・体調チェックリストを印刷して用いる。

施設内出入り者の記録管理を取る

利用者・施設にとって必要なものを洗い出す

モノだけではなく、調達先も記載する

有事になればなるほど、どうしても落ち着いて行動することが難しくなるかもしれません。いつ、誰が、どのような役割を振られるのか、当日のオペレーションをはじめ、緊急事態になってみないとわからないのが正直なところです。備蓄や引継ぎなどをきちんとおこなっても同様です。

たとえば、クラスターの発生によって利用者の食事の在庫がなくなってきたとします。そうなると、どこかで調達しないといけなくなります。調達班には、必要物品の調達・運搬が求められます。そのため、当日の職員が班編成で調達班に振り分けられ、速やかに行動に移るよう指示されるでしょう。その際に、振り分けられた職員は、物品の確保場所を理解しておかなければなりません。

また、発注後手元に届くまでに時間がかかることも想定されます。あらかじめ多めに発注するなど、発注ルールなども決めておく必要があるでしょう。常日頃から消費するような備品であれば、都度見直すとなおよいのではないかと思います。

復旧するまでの時間から逆算する

生活をおこなううえで必要となるインフラが止まってしまうと、生活に多大な影響が出ます。「1日をどのように乗り切るか」を想像して必要なものを検討していくとよいです。

また、阪神淡路大震災、東日本大震災の経験から、電気・ガス・水道が9割復旧するまでの日数は左ページのとおりです。これらを参考に、現在の自施設の備品で不足しているものを洗い出し、企業・法人内に関わる方に安心感を持ってもらうための準備をしていきましょう。

いまままでの震災におけるライフラインへの被害

	東日本大震災 （2011/3/11）海溝型地震	阪神淡路大震災 （1995/1/17）直下型地震
電気	6日	2日
ガス	24日	37日
水道	34日	61日

防護具、消毒液など備蓄品の確保（在宅・居宅介護支援サービス）

保管先・在庫量の確認、備蓄

●備蓄品、必要数量を定め、防護具や消毒液等の在庫量・保管場所（広さも考慮する）、調達先等を明確にするとともに職員に周知する。

【補足４】様式６の備蓄品の目安計算シー

補足4：様式６の備蓄品の目安計算シート

黄色の人数、ピンクの条件の部分を入力すると、必要数が計算されます。水色の条件は、確認し必

	①		②		人数 ③	人数 ④	⑤
品目	使用量	単位	回数	単位	職員[人]	利用者[人]	日数[日]
ハンドソープ	1	ml/回	3	回/日			80
消毒用エタノール	3	ml/回	3	回/日			80
手袋	1	双/回	3	双/日			80
手袋	1	双/回		回/日			80
環境整備用消毒液	5	L/回	3	回/日			80

研修資料（入所） 10ページ
＜参考＞（例）
・手袋：清掃回数（最低3回）/日×清掃に関わる職員数×●日分
利用者数×ケア回数（オムツ交換、排泄介助、食事介助、他）/日×●日分
・ハンドソープ：1ml/回×3回/日×（出勤従業員数＋利用者数）×●日分
・消毒用エタノール：3ml/回×ケア回数/日×出勤従業員数×●日（＋利用者使用数）
・環境整備用消毒液＜5%次亜塩素酸ナトリウム液900ml使用＞
：5L/回の0.05%希釈液を3回/日 環境整備で使用した場合80日分で7.5本等

厚生労働省のウェブサイトよりダウンロードし、記入後、添付する

●ダウンロード方法
1. 右より厚生労働省のウェブサイトにアクセス

2. <新型コロナウイルス感染症編>【例示入り】<令和３年度>の感染症ひな型を開く
3. 「補足４」のシートをダウンロードし、活用する

【様式６】備蓄品リスト

【様式２】施設外・事業所外連絡先リスト

123ページの「様式ツール集」よりダウンロードし、添付

●感染が疑われる者への対応等により使用量が増加する可能性があるため、発注後届くまでに時間がかかる可能性も考慮に入れ、備蓄量や発注ルールを確定する。必要な場合、適時見直す。

・あらかじめ多めに発注しておく
・ローリングストックをおこなう
など

研修・訓練をおこなう

緊急時に備えて訓練をおこなう

ＢＣＰをつくるだけではなく、定期的な訓練が義務づけられています。

新型コロナウイルス感染症や感染性胃腸炎などが発生した場合、施設・事業所ではまん延（クラスター化）防止のため、迅速かつ正確な感染拡大対策が求められます。それでもまん延してしまった場合、限られた人数で最小限のサービス提供をおこなわざるを得ない状況となります。

初動が大切

感染症対策についても、いかに落ち着いて、確実に初動対応がとれるかがとても大切となります。いつ起こるかわからない災害や感染症の発生に備えて、利用者・職員・利用者家族・地域住民の「ありがとう」と「安心」を守るため、日々研修や訓練を重ねていくことが求められています。

外部講師などを招く方法も

感染症の発生を想定した訓練は、現在多くの介護事業所でおこなわれており、マンネリ化しているケースもあるかと思います。

ある施設では、５Ｓ活動の一環として、備蓄の確認をおこなったりしています。そのほかにも、専門職の方が講師として地域住民の方を対象にベットメイキング講座を開催したり、栄養士による賞味期限が近い備蓄品を使用した料理講座をおこなったりしています。

また、ＩＣＴ化が促進されている介護業界では、連絡手段のツールや安否確認アプリなどの導入も進んでいます。非日常のことを〝日常〟のことと捉える機会にすることも、訓練の一環ではないかと思います。

研修・訓練の実施（在宅サービスの場合）

定期的に以下の研修・訓練等を実施、BCPの見直しを行う

業務継続計画（BCP）を関係者で共有

●策定したＢＣＰ計画をBCP委員会メンバーで抜けや漏れがないかを確認する。

業務継続計画（BCP）の内容に関する研修

●以下の教育を実施する。
（１）入職時研修
・時期：入職時
・担当：
・方法：ＢＣＰの概念や必要性、感染症に関する情報を説明する。
（２）ＢＣＰ研修（全員を対象）
・時期：
・担当：
・方法：ＢＣＰの概念や必要性、感染症に関する情報を共有する。
（３）外部ＢＣＰ研修（全員を対象）
・時期：
・担当：
・方法：

業務継続計画（BCP）の内容に沿った訓練（シミュレーション）

●以下の訓練（シミュレーション）を実施する。
・時期：
・担当：
・方法：感染者の発生を想定し、ＢＣＰに基づき、役割分担、実施手順、人員の代替え、物資調達の方法の確認などを 机上訓練及び実地訓練を実施する。その際、（令和2 年9月30日）高齢者事業所における事業所内感染対策のための自主点検について（その２）にある机上訓練シナリオを活用する。
https://www.mhlw.go.jp/content/000678401.pdf

厚生労働省が公開している「新型コロナウイルス感染症感染者発生シミュレーション～机上訓練シナリオ～」

研修担当者の配置をはじめ、
職員に役割を与えながら成長を
促せる研修・訓練をおこなおう

職員の意見を反映しつつBCPを見直す

PDCAサイクルのC

検証・見直しでは、皆さんもよく知っているフレームワーク「PDCAサイクル」で進めていくとよいです。

- **P（計画策定）**
- **D（訓練の実施）**
- **C（検証・見直し）**
- **A（改善活動）**

「緊急時どのようなことが起きるかを事前に想像・予測し、必要となる行動を実践。事業の立て直しを図り、回復に努める」といったステップを踏みます。

検証・見直しは、前後に多数の出来事があるからこそできるものであり、BCPをバージョンアップすることができます。

職員の声を反映する

訓練終了後は、BCPに関わる最新情報や動向を把握しましょう。また、職員の声をBCPの作成・見直しに活かすことも大切です。

ある施設では、BCPの訓練を終えたらアンケートを実施し、「課題」や「改善したい・改善できた点」について職員に意見を求めています。

また、年に1回職員の出勤状況を確認するために、有事の勤務状況を想定できるようなフォーマットをもとに、情報を整理しましょう。そのうえで、被災時の連絡方法をフローチャートなどに整理して一連の流れをイメージしたりすると有用です。

利用者や職員の居住状況なども定期的に確認しよう

BCPとは別で、地図と表を用いて利用者・職員の居住状況を把握することも有効です。職員や利用者を守っていくためにも、毎年BCPの見直し・検証は必要不可欠です。

地震や感染症のような突発的に起きる出来事に対応するためには、不安をできるだけ除去したBCPを用意したいものです。

BCPの検証・見直し（在宅・居宅介護支援・施設サービス）

最新の動向や訓練等で洗い出された課題をBCPに反映する

●以下の活動を定期的に行い、ＢＣＰを見直す。

に管理者等が　に報告する。
・ＢＣＰに関連した最新の動向を把握し、ＢＣＰを見直す。
・教育を通じて得た疑問点や改善すべき点についてＢＣＰを見直す。
・訓練の実施により判明した新たな課題と、その解決策をＢＣＰに反映させる。

訓練をおこないながら、
課題を洗い出し、改善を目指していく
ことが大切です。そのためにも、
訓練後の職員からのフィードバック
などを大切にしましょう

訓練後のアンケート用紙

業務継続計画（BCP）策定にあたってのアンケート

平素より業務に取り組んでいただきありがとうございます。現在当園ではBCP（業務継続計画）の作成を進めております。BCPとは、大規模な自然災害や感染症などにより、通常業務の実施が困難になった際においても、業務を継続するための計画のことを指します。つきましては、自然災害の際に優先すべき業務を遂行するため、皆様の状況についてアンケート調査を実施します。以下の項目にお答えください。

氏名：

職種：

住所：

雇用形態：常勤・非常勤

通常の通勤方法（組み合わせの場合、複数回答可）
□自動車　□バイク　□自転車　□電車　□バス　□徒歩　□そのほか（　　　　）

距離：　　　　km

時間：　　　　時間　　　　分

日頃から体調に変化がないか確認する

初期症状を把握しておこう

利用者や職員のなかで「息苦しさ（呼吸困難）、強いだるさ（倦怠感）、高熱などの強い症状、発熱・咳・頭痛などの比較的軽い風邪症状など」が確認された場合には、速やかに新型コロナウイルス感染症を疑って対応します。また、初期症状として嗅覚障害や味覚障害を訴える方がいるため「普段と体調が違う」と感じた場合には速やかに医師などに相談するように、職員に指示をしておきましょう。

職員自身については、風邪などの症状が認められる場合には出勤しないことを徹底しなければなりません。感染が疑われる場合は、主治医や地域の身近な医療機関、受診・相談センターなどに連絡し、指示を受けるようにしましょう。

体調の変化に気づける体制づくりを

介護施設・事業所において流行しやすい感染症は、多くの場合介護施設・事業所の外で誰かが感染して持ち込まれてきたものです。感染の疑いがある人をより早期に把握できるように、管理者が中心となって「毎日の検温の実施、食事などの際における体調の確認」をおこないましょう。日頃から利用者や入所者の健康状態や健康の変化の有無などに留意しておくことが重要です。

職員は利用者と密接にかかわり、特に施設系サービスでは入所者と日常的に長時間接するため、より注意が必要です。職員自身が、病原体を拡げないよう日頃から健康管理を心がけなくてはいけません。また、管理者も日頃から職員の体調の変化に目を向けるようにしましょう。加えて、職員が体調不良を申出しやすい環境づくりに努めることも重要となります。

感染疑い者の発生（在宅サービスの場合）

1 対応主体

[illegible]の統括のもと、関係部門が一丸となって対応する。
様式1：推進体制の構成メンバーによる

感染疑い者の発生 [illegible]

- 息苦しさ、強いだるさ、発熱、咳、頭痛等の症状や嗅覚・味覚の異常等の症状がある場合、新型コロナウイルス感染症を疑い対応する。
- 感染の疑いをより早期に把握できるよう、毎日の検温や体調確認等により、日頃から利用者の健康状態や変化の有無等に留意する。
- 体調不良を自発的に訴えられない利用者もいるため、いつもと違う様子（活動量の低下や食事量の低下等）にも気を付ける。
- 職員は、発熱等の症状が認められる場合には出勤を行わないことを徹底し、感染が疑われる場合は主治医や[illegible]、受診・相談センター等に電話連絡し、指示を受けること。
- 管理者等は、日頃から職員の健康管理にも留意するとともに、体調不良を申出しやすい環境を整える。

感染疑い者を発見したら、速やかに「初動対応」を実行する。

感染疑い者の発生（居宅介護支援サービス・施設サービスの場合）

1 対応主体

[illegible]の統括のもと、関係部門が一丸となって対応する。
様式1：推進体制の構成メンバーによる

感染疑い者の発生

- 息苦しさ、強いだるさ、発熱、咳、頭痛等の症状や嗅覚・味覚の異常等の症状がある場合、新型コロナウイルス感染症を疑い対応する。
- 感染の疑いをより早期に把握できるよう、毎日の検温や体調確認等により、日頃から利用者の健康状態や変化の有無等に留意する。
- 体調不良を自発的に訴えられない利用者もいるため、いつもと違う様子（活動量の低下や食事量の低下等）にも気を付ける。
- 職員は、発熱等の症状が認められる場合には出勤を行わないことを徹底し、感染が疑われる場合は主治医や[illegible]、受診・相談センター等に電話連絡し、指示を受けること。
- 管理者等は、日頃から職員の健康管理にも留意するとともに、体調不良を申出しやすい環境を整える。

感染疑い者を発見したら、速やかに「初動対応」を実行する。

さまざまな方面へ速やかに情報共有する

管理者や医療機関への報告

感染疑い者が発生した場合、最初の対応が重要となります。しっかりとした手順で対応することで、風評被害などを防ぐことができます。

担当職員は、速やかに施設長または管理者に報告し、その後協力医療機関や地域の身近な医療機関、受診・相談センターへ連絡してください。その際に「自施設利用者であること、氏名、年齢、症状、経過など」を伝え、指示を仰ぐようにしましょう。

事業所内・法人内の情報共有

事業所や法人内では「感染疑い者の氏名、年齢、症状、経過、今後の対応など」の情報を共有しましょう。事業所内では、活用しているSNSなどの通信手段を用いて情報を共有すると便利です。施設内での感染拡大には注意しましょう。

さらに、法人の担当窓口へも情報を共有し、必要に応じて指示を仰ぐようにします。施設長・管理者は施設内で情報共有をおこない、職員がその後の業務に対応できるようにしておきましょう。

指定権者への報告

指定権者（都道府県）への報告では、施設長・管理者は保健所へ連絡をおこない、指示を仰ぐ必要があります。さらに、指定権者への電話で現時点の情報を報告・共有するとともに、必要に応じて文書でも報告をおこないましょう。また、基幹相談支援センター及び相談支援事業所へも報告するとよいでしょう。

担当事業者や家族への報告

必要となる代替サービスの確保・調整など、利用者支援の観点で必要な対応をとるよう努めます。早急に対応が必要な場合は、当該利用者が利用しているほかのサービス事業者へ情報を速やかに共有しましょう。

当該利用者家族へは、利用者の状態や症状の経過、受診・検査の実施など（今後の予定）について共有し、利用者家族が安心できるように努めましょう。

2 対応事項

対応事項は以下のとおり。

対応事項

管理者へ報告

●感染疑い者が発生した場合は、担当職員は、速やかに管理者等に報告する。

地域での身近な医療機関、受診・相談センターへ連絡

●主治医や地域で身近な医療機関、あるいは、受診・相談センターへ電話連絡し、指示を受ける。

・自施設利用者であること
・該当利用者の氏名
・年齢
・症状
・経過　などを伝える

事業所内・法人内の情報共有

●状況について事業所内で共有する。
氏名、年齢、症状、経過、今後の対応等を共有する。

●事業所内においては、電子掲示板やLINE等の通信技術を活用し、施設内での感染拡大に注意する。

●施設法人の担当窓口へ情報共有を行い、必要に応じて指示を仰ぐ。
管理者は施設内で情報共有を行う。

指定権者への報告

●状況について指定権者に電話で報告する。

必要に応じて文書でも報告

担当事業所への報告

●当該利用者を担当する担当事業所に情報提供を行い、必要となる代替サービスの確保・調整等、利用者支援の観点で必要な対応がとられるよう努める。

●早急に対応が必要な場合などは、当該利用者が利用している他サービス事業者への情報共有を速やかに行う。

●電話等で直ちに報告するとともに、必要に応じて文書にて詳細を報告する。

家族への報告

●状況について当該利用者家族へ報告する。その際、利用者の状態や症状の経過、受診・検査の実施等の今後の予定について共有する。

活動エリアを区分し感染拡大を防ぐ

通所サービスの場合

通所サービスの利用者に感染の疑いがある場合は、利用を中止してもらいましょう。また、利用者を担当する基幹相談支援センター及び相談支援事業所に情報を提供し、必要となる代替サービスの確保・調整をおこないます。サービス提供中に疑いが出た場合も同様の対応となります。

入所者に感染疑いがある場合

入所者に感染の疑いがある場合は、個室に移動する必要があります。個室に移動できない場合は、①マスクを着用させ、②ベッドの間隔を隣と2m以上あけ、③カーテンで仕切るなどの対応をします。レッドゾーンを設けて、区分けをはっきりさせましょう。また、④換気経路なども図面で確認し、レッドゾーンは換気出口の近くに設けるようにしましょう。

入所者（感染疑い）とそのほかの入所者では、可能な限り担当職員を分けて対応しましょう。そのために、勤務体制の変更や職員の確保について検討しなければなりません。

施設内で検体採取をおこなう場合

医療機関を受診する際は、施設の車を利用するようにしましょう。保健所などの指示により、施設内で検査検体を採取することとなった場合は、検体採取をおこなう場所に移動する際に、ほかの入所者と接触しないように気をつけましょう。また、検体を採取する場所は、十分な換気、清掃、適切な消毒をおこないましょう。

感染疑いのある入所者と同室の利用者に発熱などの症状があったり、普段と違うところがみられた場合は、施設内で感染が拡がっていることを疑い、体調不良者の状況調査をおこなう必要があります。

職員についても同様に体調不良者の確認をおこない、体調不良の場合は地域で身近な医療機関、受診・相談センターへ連絡するとともに、一時帰宅を検討しましょう。

》》 感染疑い者への対応（在宅サービスの場合） 《《

【利用者】

利用休止

●利用を断った利用者については、当該利用者を担当する居宅介護支援事業所に情報提供を行い、必要となる代替サービスの確保・調整等、利用者支援の観点で必要な対応がとられるよう努める。

サービス提供の検討

●居宅介護支援事業所等と連携し、サービスの必要性を再度検討の上、感染防止策を徹底した上でサービスの提供を継続する。

●可能な限り担当職員を分けての対応や、最後に訪問する等の対応を行う。

医療機関受診

●利用中の場合は、第一報で連絡した医療機関、受診・相談センターの指示に従い、医療機関への受診等を行う。

》》 感染疑い者への対応（施設サービスの場合） 《《

（2－1）入所者 個室管理

●当該入所者について、個室に移動する。

●個室管理ができない場合は、当該利用者にマスクの着用を求めた上で、「ベッドの間隔を2m 以上あける」または「ベッド間をカーテンで仕切る」等の対応を実施する。

（2－2）対応者の確認

●当該入所者とその他の入所者の介護等にあたっては、可能な限り、担当職員を分けて対応する。

●この点を踏まえ、勤務体制の変更、職員確保について検討を行う。

（2－3）医療機関受診／施設内での検体採取

正しい方法で消毒と清掃をおこなう

接触頻度の高い場所をリスト化

感染防止のための消毒や清掃は、正しい手順と方法でおこなわなければ効果が得られないことがあります。また、次亜塩素酸ナトリウム液を含む消毒薬の噴霧は体内に入ると有害ですので、扱いには十分に気をつけましょう。

感染疑い者が利用するような次の共有場所などは、きちんと消毒・清掃をおこないましょう。

・出入口
・デイルームのドアノブ
・座席やテーブル
・トイレのドアノブや水洗レバー
・洗面所の蛇口などの高頻度接触面

そのほか、施設によって接触の頻度の高い場所はリストで一覧にしておくとよいです。

消毒・清掃の方法

消毒の方法は「マスク・手袋を着用し、消毒用エタノールで清拭する」「次亜塩素酸ナトリウム液で清拭後、湿式清掃し乾燥させる」などがあります。次亜塩素酸ナトリウム液は、０・０５％に希釈して使用しましょう。また、使用する際は十分に換気をおこなってください。手指の消毒には絶対に使用しないようにします。有毒ガス発生の原因となるので、酸性のものと混ぜたりしないように気をつける必要もあります。汚れが残っていると効果が弱まるので、清拭前に一度汚れを落としてから使用するとよいです。こういった注意事項も一覧にして消毒場所にわかるように設置し、職員に共有しましょう。

使用したものの廃棄方法

消毒・清掃後の手袋や、感染疑いのある利用者の嘔吐物・排泄物などは、感染拡大の原因となるので速やかに破棄してください。また、感染の原因となるようなゴミは密閉または隔離できる容器に保管し、換気を十分におこなってください。保健所の指示がある場合は、その指示に従います。その際、職員への情報共有も忘れないようにしましょう。

消毒・清掃などの実施（在宅サービスの場合）

場所（共用スペース等）、方法の確認 ※通所のみ

●感染疑い者が利用した以下の共有場所の消毒・清掃を行う。

出入口、デイルームのドアノブ、座席やテーブル、トイレのドアノブ、水洗レバー、洗面所の蛇口等の高頻度接触面。

●手袋を着用し、消毒用エタノールで清拭する。または、次亜塩素酸ナトリウム液で清拭後、湿式清掃し、乾燥させる。なお、次亜塩素酸ナトリウム液を含む消毒薬の噴霧については、吸引すると有害であり、効果が不確実であることから行わないこと。トイレのドアノブや取手等は、消毒用エタノールで清拭する。または、次亜塩素酸ナトリウム液（0.05%）で清拭後、水拭きし、乾燥させる。

●保健所の指示がある場合は、その指示に従うこと。

廃棄物の処理方法なども確認しておくとよい

消毒・清掃などの実施（施設サービスの場合）

●当該入所者の居室、利用した共有スペースの消毒・清掃を行う。例えば、[illegible]の高頻度接触面。

●手袋を着用し、消毒用エタノールで清拭する。または、次亜塩素酸ナトリウム液で清拭後、湿式清掃し、乾燥させる。なお、次亜塩素酸ナトリウム液を含む消毒薬の噴霧については、吸引すると有害であり、効果が不確実であることから行わないこと。トイレのドアノブや取手等は、消毒用エタノールで清拭する。または、次亜塩素酸ナトリウム液（0.05%）で清拭後、水拭きし、乾燥させる。

●保健所の指示がある場合は、その指示に従うこと。

廃棄物の処理方法なども確認しておくとよい

陽性・陰性に合わせた対応をおこなう

結果が出るまでの対応も重要

最初に、検査は100%の絶対的なものではありません。ウイルスの検体を適切に採取できなかったり、ウイルス量が少ない時期に検査したりした場合「陰性」と出てしまう可能性があります。それを十分理解したうえで、検査から結果後の対応を決めましょう。

新型コロナウイルス感染症の場合、PCR検査や抗原検査などがあります。新型コロナウイルスは鼻汁、唾液、痰の中などに多く存在しています。検査をおこなう際は、これらを採取しておこないます。

PCR・抗原検査は、結果が出るまでに数日を要するため、陽性の場合に備えて、結果待ちの間に休業の検討や感染拡大防止の体制をとりましょう。検査結果を待っている間に感染が拡大してしまい、クラスターとなった事例もありますので、防止体制の確立は速やかにおこなえるようにあらかじめ準備しておきましょう。

検査結果が「陰性」だった場合

検査結果が陰性だった場合は、施設・事業所としてのサービス提供は継続しつつ、健康観察を続けます。

陰性の利用者は、陰性と出た後に陽性となることもあるので、何度か検査を受け続けましょう。

検査結果が「陽性」だった場合

陽性だった場合、医療機関に対し、新型コロナウイルスの感染状況や当該利用者の状況・症状などを、可能な限り詳細に共有しましょう。高齢の利用者は感染した場合重症化するリスクが高いので、適切な対応をしてください。

在宅サービスなどの利用者が陽性と診断され自宅療養となった場合、サービスの提供を継続するか検討する必要があります。もしサービス提供を継続することになった場合は、ほかの利用者に感染が拡がらないように、サービス提供者を分けるようにしましょう。

検査（在宅サービス・居宅介護支援サービスの場合）

●検査結果を待っている間は、陽性の場合に備え、感染拡大防止体制確立の準備を行う。

＜陰性の場合＞
●利用を継続する。

＜陽性の場合＞

サービス提供を続ける場合は
提供者を限定する

●入院にあたり、当該医療機関に対し、新型コロナウイルス感染状況（感染者であるか、濃厚接触者であるか）も含めた当該利用者の状況・症状等を可能な限り詳細に情報提供を行う。

●現病、既往歴等についても、情報提供を行うとともに、主治医や嘱託医との情報共有に努める。

《検査結果の捉え方》
・検査の精度は100%ではなく、きちんと検体が採取できていない場合やウイルス量が少ない時期に検査し、陰性が出る場合もある。
・検査結果は絶対的なものではないため、一度陰性であったとしても、感染が疑われることがあれば、再度相談する必要がある。

検査（施設サービスの場合）

●検査結果を待っている間は、陽性の場合に備え、感染拡大防止体制確立の準備を行う。

＜陰性の場合＞
●入所を継続し、施設で経過観察を行う。

＜陽性の場合＞
●入院にあたり、当該医療機関に対し、新型コロナウイルス感染状況（感染者であるか、濃厚接触者であるか）も含めた当該入所者の状況・症状等を可能な限り詳細に情報提供を行う。

●現病、既往歴等についても、情報提供を行うとともに、主治医や嘱託医との情報共有に努める。

●退院にあたっては、退院基準を満たし退院をした者について、新型コロナウイルス感染症の疑いがあるとして入所を断ることは、受入を拒否する正当な理由には該当しないことに留意し、受入準備を進める。なお、当該退院者の病状等その他の理由により適切なサービスを提供することが困難な場合は、個別に調整を行う。

《検査結果の捉え方》
・検査の精度は100%ではなく、きちんと検体が採取できていない場合やウイルス量が少ない時期に検査し、陰性が出る場合もあることを理解する。
・検査結果は絶対的なものではないため、一度陰性であったとしても、感染が疑われることがあれば、再度相談する必要がある。

休業・再開の基準を決める

通所サービスのみ記入が必要

休業の検討は通所サービスのみ必要となります。入所サービスや訪問サービスは必要最低限のサービスを提供し続けなければならないので、休止ではなく「業務縮小」というかたちになります。

休業を検討する基準を決める

休業の基準については、保健所から要請があった場合以外にも、指標を事業所で決めておくとよいでしょう。「感染者の人数」「濃厚接触者の状況」「勤務可能な職員の人数」などの指標をあらかじめ決め、指標より上回った、もしくは下回った場合に、管理者が休業の実施を検討します。

感染の疑いがある利用者や職員が出た場合は、検査結果が出るまで一時的にサービスの提供を休止する方法もあります。

休業中の代替サービスを検討

通所サービスを休業した場合、通所サービスの職員による訪問サービスの提供を検討しましょう。利用者のニーズや優先度、対応可能な職員をリストアップし、訪問サービスを提供できるか決定します。利用者の優先度としては「重度者、寝たきり、独居」などを考慮して決めます。それらを「災害時利用者一覧表（安否確認優先順位）」に記載しておきましょう。

基幹相談支援センター及び相談支援事業所との調整もおこないます。業務停止日と業務再開日、休業中の対応（訪問サービスの提供の有無など）について情報提供し、利用者の代替サービス確保に努めます。また、利用者とその家族への説明も忘れないようにしましょう。

また、保健所の指示、指導助言に従い業務停止日と業務再開日を伝え、業務停止期間における事業所窓口などを明らかにしておきます。業務停止中の消毒や従業員の対応などについても説明します。その際、できる限り文書でも提示しましょう。

業務を再開する基準を決める

サービス再開の基準も決めておきます。休業理由が保健所からの休業要請の場合は、再開の基準も保健所に確認するようにしましょう。

そのほか休業の指標と同様に、再開の指標を事前に検討しておきます。業務停止期間中は、事業所内における消毒などの環境整備をおこない、職員の健康状態維持に努めましょう。

業務を再開するにあたっては、利用者とその家族をはじめ、情報共有をおこなっていた関係機関に「再開」と伝えてください。保健所からの指示がある場合には、それを踏まえたうえで再開しましょう。

休業の検討（通所サービスのみ）

1 対応事項

休業の検討における対応事項は以下のとおり。

対応事項
都道府県、保健所等との調整 ●保健所から休業要請があれば従う。 ●休業を検討する指標 以下の状況となった場合、休業の実施を管理者が決定する。 ・感染者の人数 ― 何人以上で休業するか ・濃厚接触者の状況 ― 何%以上で休業するか ・勤務可能な職員の人数 ― 何人以下で休業するか ●感染の疑いのある利用者が、少数でありPCR検査等により陰性と判断されるまでの間については一時的に提供を休止する場合がある。

●事前に、優先的にサービスを提供すべき利用者をリストアップする。

【様式9】災害時利用者一覧表（安否確認優先順位）

様式9：災害時利用者一覧表（安否確認優先順位）

[illegible]

事業所名：

No	優先順位※			地域区分	氏名（年齢）	住所(自治会)	[illegible]	介護・医療機関	[illegible]	[illegible]	[illegible]
	医療・介護	独居	[illegible]								
1	人工呼吸器	〇	(高)	△△地区	介護 太郎(75)	◇◇市〇〇町(△△自治会)		□□病院	[illegible]	[illegible]	
2											
3											
4											
5											
6											
7											
8											
9											
10											
11											
12											
13											
14											
15											
16											
17											
18											
19											
20											

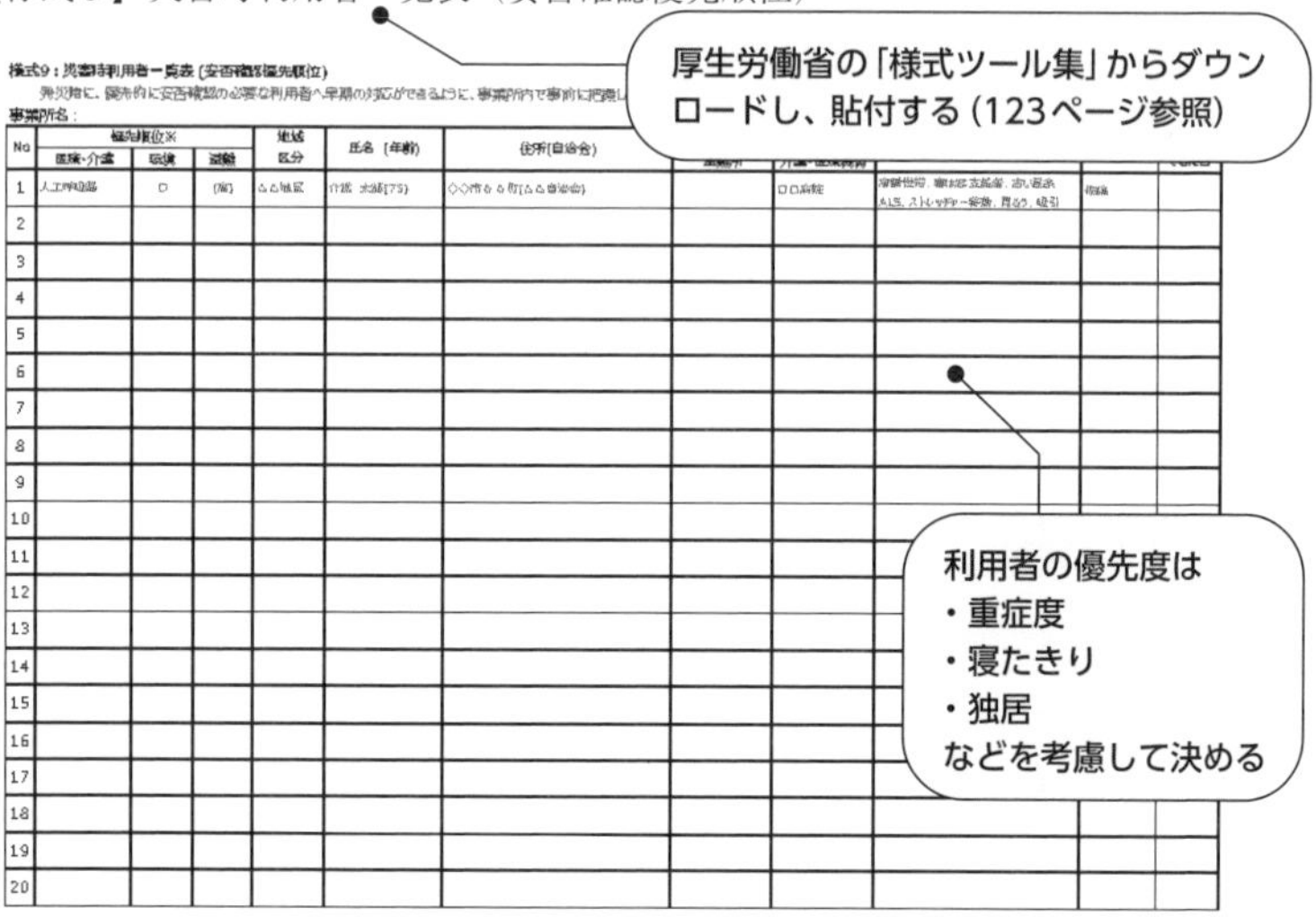

訪問サービス等の実施検討

●利用者のニーズや対応可能な職員に応じて、通所サービスの介護職員による訪問サービスの実施を検討する。

・感染者の人数　〇人
・濃厚接触者の状況　全職員の〇%
・勤務可能な職員の人数　〇人

●訪問サービスが必要な利用者の優先度、およびケアの内容を事前にリストアップする。重度者、寝たきりの状況、独居などによって、訪問サービス提供の有無を決定する。

【様式9】災害時利用者一覧表（安否確認優先順位）に記載する。

●安否確認等、必要に応じ「新型コロナウイルス感染症に係る介護サービス事業所の人員基準等の臨時的な取扱いについて」を参照し、特例を考慮しながらサービス提供を行う。

【様式７】業務分類（優先業務の選定）を行い、サービス提供の優先順位を明確にする。

【様式７】業務分類（優先業務の選定）

施設の業務を重要度に応じて４段階に分類し、出勤状況を踏まえ縮小・休止する。入所者・利用者の健康・身体・生命を守る機能を優先的に維持する（出勤率をイメージしながら作成）。

分類名称	定義	業務例	出勤率			
			30%	50%	70%	90%
業務の基本方針			生命・安全を守るために必要最低限のサービスを提供	食事、排泄を中心その他は休止または減	一部休止するがほぼ通常通り	ほぼ通常通り
A:継続業務	・優先的に継続する業務 ・通常と同様に継続すべき業務	食事、 排泄、 医療的ケア、 清拭 等	食事（必要最低限のメニュー） 排泄 医療的ケア	食事 排泄 医療的ケア 清拭	食事 排泄 医療的ケア 清拭	食事 排泄 医療的ケア
B:追加業務	・感染予防、感染拡大防止	利用者家族等への各種情報提供、	利用者家族等への各種情報提供	利用者家族等への各種情報提供	利用者家族等への各種情報提供	利用者家族等への各種情報提供

このほか、
再開基準も決めておきましょう。
サービスの提供を再開した際には、
関係機関に「再開」を伝えます

感染疑い者などを特定して汚染区域を明確に

濃厚接触者のリストを作成

施設や事業所内、または在宅サービス利用者内に感染が疑われる者が発生した段階で『感染が疑われる者と濃厚接触をした可能性がある者のリスト』を作成します。

リストには「症状出現2日前からの接触者」「直近2週間の勤務記録」「利用者のケア記録（体温、症状などがわかるもの）」「施設内に出入りした者の記録」などを記入し、速やかに保健所と保険者に報告をします。平時から健康チェック、施設への出入り者を確認しておきましょう。

リストには様式がありますので、それに則って作成するか、ダウンロードすることができます。リストの保管場所などは職員間で共有し、記録の担当者・副担当者を決め、管理しておきましょう。

感染区域拡大を阻止する

クラスターが発生した場合、保健所の管理下となるため、保健所主導で対策を実施していくことになります。保健所への報告は速やかに、必ずおこなってください。

報告後、保健所の指示に従い、濃厚接触者となる職員・利用者などの特定を進めていきます。さらに、保健所から、消毒範囲や内容、運営を継続するために必要な感染対策に関する指示や助言などを受け、実施するようにしましょう。

自施設だけで感染対策を試み保健所への報告が遅れた場合、社会的批判を受ける可能性があります。

また、クラスター発生後は、保健所と連携し、感染経路を把握しましょう。感染経路と濃厚接触者を特定することで、感染状況を把握できるので、汚染区域を限定することができます。感染経路が不明の場合、施設全体が汚染区域になってしまい、大規模な制限や規制をかける必要が出てきてしまいますので注意してください。併設サービスなどは、保健所から休業などの要請があればそちらに従ってください。

保健所との連携（居宅介護支援サービスの場合）

（1－1）濃厚接触者の特定への協力

- 感染者が発生した場合、保健所の指示に従い、濃厚接触者となる入所者等の特定に協力する。
- 症状出現2日前からの接触者リスト、直近2週間の勤務記録、利用者のケア記録（体温、症状等がわかるもの）、施設内に出入りした者の記録等を準備する。
- 感染が疑われる者が発生した段階で、感染が疑われる者、（感染が疑われる者との）濃厚接触が疑われる者のリストを作成する。

【様式4】感染（疑い）者・濃厚接触（疑い）者管理リストを活用する。

リストの保管場所や担当者も決める

様式4：感染（疑い）者・濃厚接触（疑い）者管理リスト

<感染（疑い）者>

報告日	感染者/感染疑い者	属性（いずれかに○）	所属（職員の場合）	氏名	感染者区分	発症日	出勤可能日（見込）	発症日から2日前までの間の行動（感染（疑い）者が会った職員名・触った事業所箇所等）	管理完了
10/10	感染疑い者	職員/入所者/出入り業者	○○課	○○○○	本人/同居家族	10/5	10/20	10/4 △△と夕食を食べた 10/3 ○号室で嘔吐した	
/		職員/入所者/出入り業者			本人/同居家族	/	/		
/		職員/入所者/出入り業者			本人/同居家族	/	/		
/		職員/入所者/出入り業者			本人/同居家族	/	/		

厚生労働省の「様式ツール集」からダウンロードし、貼付する

<濃厚接触（疑い）者>

報告日	濃厚接触者/接触疑い者	属性（いずれかに○）	所属（職員の場合）	氏名	感染者区分	発症日	出勤可能日（見込）	接触した感染（疑い）者の職員名・利用者、状況等	管理完了
10/10	接触疑い者	職員/入所者/出入り業者	○○課	○○○○	本人/同居家族	10/5	10/20	10/4 △△と休憩室でマスクをせず長時間会話した	済
/		職員/入所者/出入り業者			本人/同居家族	/	/		
/		職員/入所者/出入り業者			本人/同居家族	/	/		
/		職員/入所者/出入り業者			本人/同居家族	/	/		

（参考）感染が疑われる者との濃厚接触が疑われる者の特定にあたっては以下を参考。
- 新型コロナウイルス感染が疑われる者と同室または長時間の接触があった者
- 適切な感染の防護無しに新型コロナウイルス感染が疑われる者を診察、看護若しくは介護していた者
- 新型コロナウイルス感染が疑われる者の気道分泌液若しくは体液、排泄物等の汚染物質に直接触れた可能性が高い者
- 手で触れることの出来る距離（目安として1メートル）で、必要な感染予防策なしで、新型コロナウイルス感染が疑われる者と15分以上の接触があった者

（1－2）感染対策の指示を仰ぐ

クラスター発生後は速やかに保健所へ連絡

- 消毒範囲、消毒内容、生活空間の区分け、運営を継続するために必要な対策に関する相談を行い、指示助言を受け、実施する。

サービスごとに濃厚接触者への対応を決める

濃厚接触者と判定されたら

濃厚接触者は、次のような条件を踏まえ保健所が総合的に判断し決定します。

- **感染者と感染の可能性がある期間にマスクなしで接触した**
- **汚染物に直接触れた**
- **1m以内の距離で15分以上の接触があった**

この際に146ページでふれた『感染が疑われる者と濃厚接触をした可能性がある者のリスト』が参考になります。濃厚接触者に該当する条件を事業所内で共有し、保健所の判断に速やかに対応できるようにしておきましょう。

新型コロナウイルス感染症に関しては、5類に移行したので、濃厚接触者と判断された人は5日間程度の健康観察を徹底してください。介護事業所は高齢者が多いので、出勤を停止するなどの対応も必要となります。各事業所で基準を設け、共有しておきましょう。

入所・通所・訪問で対応を決める

濃厚接触者が【入所系サービス】の利用者の場合、感染者との最終接触から5日程度の健康観察を徹底します。その際も、保健所からの指示に従いましょう。原則として、個室に移動してもらい、有症状となった場合は速やかに汚染区域の別室へ移動します。個室の数や施設の状況に応じて、症状のない濃厚接触者と同室にするなど検討してください。

【通所系サービス】の利用者が濃厚接触者になった場合は、経過観察をするとともに、5日程度のサービス利用停止を利用者にお願いします。その後、症状が出なかった場合に利用を再開してもらいます。

【訪問系サービス】の利用者が濃厚接触者になった場合は、感染対策を徹底し、最低限のサービスを提供するようにします。ゾーニングも感染拡大防止には重要です。居室だけでなく、動線や換気経路などを考慮して、レッドゾーンを決定しましょう。

職員への対応

職員に関しても同様で、区分けをする必要があります。濃厚接触者を担当する職員とそのほかの利用者を担当する職員に分けましょう。サービスを提供する際には、換気・消毒・ガウンなどの着用を徹底します。

職員が濃厚接触者となった場合は、復帰まで保健所の指示に従ってください。

濃厚接触者への対応（施設サービスの場合）

（2－1）入所者 健康管理の徹底

- 濃厚接触者については14 日間にわたり健康状態の観察を徹底する。
- 14日間行うことが基本となるが、詳細な期間や対応については保健所の指示に従う。

（2－2）個室対応

- 当該入所者については、原則として個室に移動する。
- 有症状となった場合は、速やかに別室に移動する。
- 個室が足りない場合は、症状のない濃厚接触者同士を同室とする。
- 個室管理ができない場合は、濃厚接触者にマスクの着用を求めた上で、「ベッドの間隔を2m以上あける」または「ベッド間をカーテンで仕切る」等の対応を実施する。

（2－3）担当職員の選定

- 当該入所者とその他の入所者の介護等に当たっては、可能な限り担当職員を分けて対応を行う。

職員の安全を保障し出勤率の低下を抑える

職員を勤務可能と不可能に分ける

職員が感染者や濃厚接触者になることで、職員不足が予想されます。特にクラスター発生後は職員の確保が難しくなります。また、ほかの施設からの応援などが困難になる場合も多いです。そのほかにも、職員の家族から出勤に反対する意見が出ることもあるため、職員のメンタルケアなども重要となります。

「勤務が可能な職員」と「休職が必要な職員」それぞれの把握をおこない、勤務調整をしましょう。基準を設けておくと調整しやすくなります。また、不測の事態の場合は指定権者へ相談したうえで調整をおこないましょう。

勤務可能な職員に対して

勤務可能な職員には、平時の業務以外に、業務補助などの業務を追加して、利用者の安全確保に努めるシフト管理をおこないます。そのためには、緊急時用のシフト表をあらかじめ準備しておくとよいでしょう。

緊急時に出勤する職員は、平時より身体的にも精神的にも負担が大きくなります。職員の負担軽減のためには、必要に応じて近隣に宿泊施設を確保することを検討しましょう。

職員の応援を呼ぶ

介護、食事提供、事務などそれぞれの部署で「どのくらいの職員が減ったら、自治体や関係団体などに応援を要請するか」を検討します。感染拡大に考慮しつつ、可能であれば近隣の事業所から人員を確保します。

特に看護職員などについては、平時から法人内で連携を図り、緊急時に応援を呼べるような体制づくりに努めましょう。

応援職員が確保できた場合に備えて「してほしい業務」や「説明すべきこと」を決めておきます。感染者発生時の施設運営やマネジメントについては、協力医療機関の助言なども踏まえつつ、保健所の指示を受け、施設長・管理者が中心となって対応します。

職員の確保（在宅サービスの場合）

事業所内での勤務調整、法人内での人員確保

●勤務可能な職員を把握する。
感染症の対応について協力してもらえるかなども含め、部署内で人員を確保することを定期的に検討して見直す。

●部署内で職員の不足が見込まれる場合は、早めに対応を決定する。
自事業所内他部署、法人内他事業所に対し、感染者対応を含めた協力の要請について事前に調整し、要請の基準を作成する。

●職種別の人員確保を検討する。
介護、事務等それぞれの部署で、どこに応援を要請するかを検討する。
応援要請先

●職員の負担軽減や応援職員のために、近隣の宿泊施設を確保する。
宿泊先：　ホテル

自治体・関係団体への依頼

●自事業所、自法人内で職員確保が困難な場合に備え、自治体や関係団体との連携方法を定期的に検討して見直す。

「どのくらいの職員が減ったら、自治体や関係団体などに応援を要請するか」の基準も記載しておくとよい

職員の応援を呼ぶ前にできることを考える

ひな型に加筆修正する

緊急時に職員を確保する方法を事前に検討しておくことは非常に重要です。ひな型の文章を参考に、自施設で検討してみてください。

また、色文字以外のところを書き換えてはいけないということは全くありません。ほかの施設のクラスター事例なども参考にしながら、修正を加えるとよいでしょう。

職員の応援が期待できないことも

「グループ内または、提携先施設に職員応援を依頼する」などと記載したBCPをよく見かけます。しかし、実際にクラスターが発生した施設に職員を派遣することは、グループ内であっても希であるといえます。派遣した職員が感染して自分たちの施設にウイルスを持ち込んだ場合、自施設がクラスターとなってしまう可能性があるためです。そのため、自施設内だけで、できるだけ職員をやり繰りする方法が求められます。

感染発生時を想定する必要性

感染症では特に危機管理が問題となります。頭で考えた対策と、研修や訓練で体験する現実とでは離反が大きいです。いつ発生するかわからない感染症の被害を最小限に留めるためにも、研修や訓練をおこないながら、緊急時の対策をあらかじめ決めておきましょう。

クラスターが発生し、濃厚接触者に認定された職員は2週間の自宅待機となります。さらには、派遣社員やパート職員、清掃業者なども家庭内感染を恐れて、出勤しなくなります。そうなると、平時のケアや業務をすべて継続することは困難になります。そのため、事前に継続すべきケアや業務と、休止や縮小する業務をあらかじめ振り分けておくことも大切になるのです。

職員の確保（施設サービスの場合）

（3－1）施設内での勤務調整、法人内での人員確保

●感染者や濃厚接触者となること等により職員の不足が見込まれる。

●勤務が可能な職員と休職が必要な職員の把握を行い、勤務調整を行う。また、基準等について、不測の事態の場合はへ相談した上で調整を行う。

●勤務可能な職員への説明を行ったうえで、緊急やむを得ない対応として平時の業務以外の業務補助等への業務変更を行うなど、入所者の安全確保に努めるシフト管理を行う。（期間を限定した対応とする）

●施設内の職員数にまだ余裕があれば、内からの支援も検討する。

実際は難しいことが想定されるため、できるだけ施設内での調整で対応する

●勤務時の移動について、感染拡大に考慮しからの人員の確保を行う。

●職種別の人員確保を検討する。介護、食事提供、事務等それぞれの部署で、どのくらいの職員が減ったら、どこに応援を要請するかを検討する。特に看護職員等については、通常時より法人内において連携を図り緊急時の対応が可能な状況の確保に努める。

●となった場合も踏まえ、職員調整を行う。

●応援職員に「してほしい業務」「説明すべきこと」を決めておく。

（3－2）自治体・関係団体への依頼

●自施設、法人内の調整でも職員の不足が見込まれる場合、へ連絡し、応援職員を依頼する。

●感染者発生時の施設運営やマネジメントについては、の助言等も踏まえつつ、保健所の指示を受けが中心となって対応する。

●感染症対策に係る専門的知識も踏まえた運営やマネジメントを行う必要があるが、施設単独で行うには困難を伴うこともあり、その場合は早めにに専門家の派遣を依頼する。

備蓄品を把握し緊急時の調達方法を検討する

ローリングストックで備蓄する

感染拡大防止のために、大量のマスクや使い捨て手袋、消毒液などが必要となります。平時から使用するような備蓄品は「ローリングストック」を推奨します。緊急時用として別で確保しておくのではなく、平時に使用する分とともに確保しておくということです。

備蓄品の数について

個人防護具、消毒剤などの在庫量については「施設の規模」「利用者の状況」および「濃厚接触者の人数」から、今後の必要量の見通しをたてて確保しておきます。最悪の場合、マスクを数回使い回したり、ゴミ袋をガウンの代替品として使用したりするなどの対応も検討しなければなりません。

個人防護具の不足は、職員の不安にもつながるため、十分な量を確保しておくように気をつけましょう。消毒液は不足を考慮し、代替品も検討しておきます。また、消毒液を入れるポンプ式・スプレー式のボトルなども備蓄品として加えておくと安心です。

業者との連携

緊急時は、通常の調達先から確保できない場合もあるので、複数の業者と連携しておくことも大切です。自法人内で定期的に調達先や調達方法を検討し、不足が見込まれる場合は自治体・事業者団体に相談しましょう。感染拡大により在庫量が著しく減ることや、追加の依頼をしてから届くまで時間がかかる場合があることを考慮して、平時から十分な量の調達を適切におこないましょう。

扱いに注意が必要なもの

消毒液は種類によって使用方法が異なり、間違った使い方をしてしまうと、人体に有害な影響が出たり、効果が薄まったりする可能性があるので、種類と使用方法は別紙で管理して、全職員に共有しておきましょう。

（4－1）在庫量・必要量の確認

●個人防護具、消毒剤等の在庫量・保管場所を確認する。

●入所者の状況および濃厚接触者の人数から今後の個人防護具や消毒液等の必要量の見通しをたて、物品の確保を図る。

●個人防護具の不足は、職員の不安へもつながるため、充分な量を確保する。

【様式6】備蓄品リスト

様式6：備蓄品リスト

(注)施設・事業所の状況に応じて、リスト内の品目の追加・削除してください
(注)一部の品目の必要数は、補足4の目安計算シートを参照してください

備蓄品の管理をするため記入する。（※必要に応じてシートをコピーして使用。）

No.	品目	保管量		必要量	過不足量	単位	[illegible]	[illegible]	[illegible]	備考
		日付	保管量							
1	マスク（不織布製マスク）									
2	サージカルマスク(N95)									
3	体温計（非接触型体温計）									
4	ゴム手袋（使い捨て）									
5	フェイスシールド									
6	ゴーグル									
7	使い捨て袖付きエプロン									
8	ガウン									
9	キャップ									
10	次亜塩素酸ナトリウム液									
11	消毒用アルコール									
12	ガーゼ・コットン									
13	トイレットペーパー									
14	ティッシュペーパー									
15	保湿ティッシュ									
16	石鹸・液体せっけん									
17	おむつ									
18	ビニール袋									
19	靴カバー									
20										
21										
22										
23										
24										
25										

（4－2）調達先・調達方法の確認

●通常の調達先から確保できない場合に備え、複数の業者と連携しておく。
●自法人内で情報交換し、調達先・調達方法を検討する。
●不足が見込まれる場合は自治体、事業者団体に相談する。

●感染拡大により在庫量が減るスピードが速くなることや、依頼してから届くまで時間がかかる場合があることを考慮して、適時・適切に調達を依頼する。

●個人防護具の不足は、職員の不安へもつながるため、充分な量を確保する。

【様式2】施設・事業所外連絡リスト

業者任せにせず備蓄品リストを作成する

まずは最低限の記載でOK

BCPの作成過程で、最後まで未完成で残るパートの多くが「備蓄品リスト」のようです。なぜなら、保管すべき量も膨大で、保管場所の確保に苦慮するからです。また、備蓄品を購入するのにコストがかかることも大きな問題でしょう。

まずはザックリと必要最低限記載しておくとよいと思います。「備蓄品リスト」で作業が止まってしまっていては、いつまでも職員にBCPの周知徹底ができません。「一旦最低限の内容でいいかな」という割り切りも重要です。

コロナ禍の経験をもとに考えよう

「喉元過ぎれば熱さ忘れる」ということわざがあります。コロナ禍であれだけマスクやPPEの確保に苦労した経験があるにもかかわらず、「専門業者と『緊急時に優先的に物資をまわしてもらう契約』をするので、備蓄品は日常使用分だけでよいか」という質問を受けることが多くなりました。

新型コロナウイルス感染症の第一波のときには、どこの業者も在庫が枯渇していたかと思います。業者任せで備蓄を放棄することは、死活問題です。

また、BCPの内容は、頭で考えたものです。そのため「実際にクラスターになったときに物資が想像以上に不足した」という話をよく聞きます。BCPは、そのような実体験を積み重ね見直していくなかで確実性の高い内容になっていきます。

ただ、まずは必要最低限の内容であっても、すべての項目を記載することが大事です。BCPは「完成」はしません。研修、訓練、見直しを定期的におこなうことで、より自施設に合った内容になっていくのです。「備蓄品リスト」も最初は常識的な範囲内でザックリとしたもので構いません。まずは、基本的なBCPを作成させましょう。

防護具、消毒液などの確保（施設サービスの場合）

保管先・在庫量の確認、備蓄

●備蓄品、必要数量を定め、防護具や消毒液等の在庫量・保管場所（広さも考慮する）、調達先等を明確にするとともに職員に周知する。

【補足4】様式6の備蓄品の目安計算シート

補足4：様式6の備蓄品の目安計算シート

黄色の人数、ピンクの条件の部分を入力すると、必要数が計算されます。水色の条件は、確認し必要に応じて修正して下さい。

	①		②		人数 ③	人数 ④	⑤			
品目	使用量	単位	回数	単位	職員[人]	利用者[人]	日数[日]	必要量	単位	
ハンドソープ	1	ml/回	3	回/日			80	0	ml	式：①×②×(③+④)×⑤
消毒用エタノール	3	ml/回	3	回/日			80	0	ml	式：①×②×(③+④)×⑤
手袋	1	双/回	3	双/日			80	0	双	式：①×②×③×⑤
手袋	1	双/回		回/日			80	0	双	式：①×②×④×⑤
環境整備用消毒液	5	l/回	3	回/日			80	15	本	式：①×0.05%×リットル×②×⑤÷(5%×800ml)

清掃に携わる職員数
ケア回数：オムツ交換、排泄介助、食事介助、口腔ケア
消毒液は0.05%の希釈液を使用、1回5リットル使う

次亜塩素酸ナトリウム液(5%)は、1本で800ml

研修資料（入所） 10ページ
<参考>（例）
・手袋：清掃回数（最低3回）/日×清掃に携わる職員数×●日分
利用者数×ケア回数（オムツ交換、排泄介助、食事介助、他）/日×●日分
・ハンドソープ：1ml/回×2回/日×（出勤従業員数＋利用者数）×●日分
・消毒用エタノール：3ml/回×ケア回数/日×出勤従業員数×●日（＋利用者使用数）
・環境整備用消毒液＜5%次亜塩素酸ナトリウム液800ml使用＞
：5L/回の0.05%希釈液を3回/日 環境整備で使用した場合80日分で75本等

厚生労働省の「様式ツール集」からダウンロードし、貼付する

【様式6】備蓄品リスト

様式6：備蓄品リスト

（注）施設・事業所の状況に応じて、リスト内の品目を追加・削除してください
（注）一部の品目の必要数は、補足4の目安計算シートを参照してください

備蓄品の管理をするため記入する。（※必要に応じてシートをコピーして使用。）

No.	品目	在庫量		必要量	過不足量	単位	保管場所	担当者	調達先	備考
		日付	在庫量							
1	マスク（不織布製マスク）									
2	サージカルマスク(N95)									
3	体温計（非接触型体温計）									
4	ゴム手袋（使い捨て）									
5	フェイスシールド									
6	ゴーグル									
7	使い捨て袖付きエプロン									
8	ガウン									
9	キャップ									
10	次亜塩素酸ナトリウム液									
11	消毒用アルコール									
12	ガーゼ・コットン									
13	トイレットペーパー									
14	ティッシュペーパー									
15	保湿ティッシュ									
16	石鹸・液体せっけん									
17	おむつ									
18	ビニール袋									
19	靴カバー									
20										
21										
22										
23										
24										
25										

【様式2】施設外・事業所外連絡先リスト

様式2：施設外・事業所外連絡リスト

（注）施設・事業所の状況に応じて、機関種別の追加・削除・修正して良い。
（注）施設・事業所の状況に応じて、各機関で具体的な連絡先を記入してください
（注）このリストを印刷した紙を普段利用し、訂正が必要な所を朱書きし、BCP更新時にファイルを見直すと良い。

行政、医療機関、委託業者・取引先などの連絡先を予め確認し、本様式に記入する（別途作成されている場合は、作成不要）。

連絡先は、できれば複数名にすると良い。 地震と共用にする場合は赤字の機関を追加する。

機関種別	名称	担当者	部署	電話番号	メールアドレス	住所	備考
例）保健所	＊＊保健所	○○課長	総務	03-XXXX-XXXX 090-XXXX-XXXX	XXXX@xxxxxx	○○県△△市■■町	代行者：＊＊ 電話：090-XXXX-XXXX
地域医療機関							

情報の共有先を把握しておく

平時と感染発生時それぞれでおこなうこと

まずは、感染者や感染疑い者が発生した際に、どこに・どのような情報を共有するのかを決めておきます。施設の対応方針などは、事前に利用者やその家族に伝えておくと、利用者の不安を軽減することができます。

感染発生後に共有する内容は、時系列順に「感染者の情報」「症状」「その時点での濃厚接触者の人数」などです。リストを作成し、保管場所も共有しておきましょう。感染発生を保健所や行政に報告した際に受ける指示・指導についても、関係者に共有し、迅速に対応します。

施設内での感染拡大を考慮し、社内SNSなどの通信手段を活用し、最新情報を共有できるようにします。

利用者とその家族への情報共有

感染拡大防止のためにおこなう施設の対応や、そのために協力をお願いすること（隔離、面会制限など）について、利用者とその家族にきちんと説明するようにしましょう。家族に利用者の様子を頻繁に伝えることで、不安を軽減できます。報告頻度や内容について、あらかじめ決めておくとよいでしょう。

利用者や職員の関係者にも共有

連携先などがあれば、そちらにも情報を共有するようにしましょう。感染者や濃厚接触者となった職員に兼務先がある場合は、個人情報に留意しつつ、必要に応じて情報共有をおこないます。

居宅介護支援事業所などと相談し、地域で当該利用者が利用している医療機関やほかのサービス事業者がある場合は、そちらにも情報共有することで感染拡大防止につながります。

平時から定期的にミーティングをおこない、施設内・法人内で情報を共有することも重要です。自施設・事業所の年間スケジュールに記載しておくとよいでしょう。

情報共有（施設サービスの場合）

（5－1）施設内・法人内での情報共有

●時系列にまとめ、感染者の情報、感染者の症状、その時点で判明している濃厚接触者の人数や状況を報告共有する。

●管轄内保健所や行政からの指示指導についても、

自事業所の年間スケジュールなどに記載しておく

●職員の不安解消のためにも、等により、施設内・法人内で情報共有を行う。

●施設内での感染拡大を考慮し、を活用し各自最新の情報を共有できるようにする。

●感染者が確認された施設の所属法人は、当該施設へ必要な指示指導の連携を図るようにする。

事業所のＳＮＳがあれば活用

（5－2）入所者・家族との情報共有

●感染拡大防止のための施設の対応、入所者や家族に協力をお願いすること（隔離対応、面会制限等）について説明する。

●家族に入所者の様子をこまめに伝えるよう心がける。

頻度や内容も決めておくとよい

●必要に応じて文書にて情報共有を行う。

（5－3）自治体（指定権者・保健所）との情報共有

●保健所やへの報告内容、方法等を記載する。

●職員の不足、物資の不足、施設の今後の対応方針含め、早めの情報共有を行う。

（5－4）関係業者等との情報共有

●委託業者に感染者発生状況、感染対策状況等を説明し、対応可能な範囲を確認

重要度別に業務を分け「優先業務」を決める

様式7のシートを作成する

自施設の業務を重要度に応じて、次の4つに分類します。

- **継続業務**
- **追加業務**
- **削除業務**
- **休止業務**

ここまでは、自然災害BCP（38ページ）でおこなった作業と同様です。

次に、感染者・濃厚接触者の人数や、それによる出勤率を踏まえて、提供可能なサービス・ケアを検討します。その際に、必要であれば業務手順の変更などをおこなってください（※新型コロナウイルス感染症では、介護報酬、人員、施設・設備及び運営基準などの対応については、柔軟な取り扱いが可能とされています）。

厚生労働省が提供している様式ツール集の『【様式7】業務分類（または業務レベル分類）』を記入し、出勤率ごとの優先業務を明確にしておくことで、感染発生時速やかな対応を可能にします。

サービスの範囲や内容について、保健所の指示があればそれに従ってください。

緊急時の対応について応援先などに理解を得ておく

被災時や緊急時には、職員の出勤率が著しく減ることを覚悟しつつ、そのなかでも自施設が決めた条件を満たす「出勤可能な職員」を把握します。特にクラスターが発生した場合は、長期間にわたり職員の確保が困難となることが予想されます。そのため、応援先や職員の家族への理解を事前に得ておくとよいでしょう。

応援職員を確保できた場合の対応も検討しておきましょう。応援職員に「してほしい業務」と「説明するべきこと」を明確にしておくと、スムーズに業務の分担（食事介護、排泄介助、服薬支援、消毒・清掃作業など）ができます。

※訪問のみ

●居宅介護支援事業所や保健所とよく相談した上で、訪問時間を可能な限り短くする等、感染防止策に留意した上でサービス提供を行う。
（※新型コロナウイルス感染症対応に関して、介護報酬、人員、施設・設備及び運営基準などについては、柔軟な取扱いが可能）以下を参照
厚生労働省「『新型コロナウイルス感染症に係る介護サービス事業所の人員基準等の臨時的な取扱いについて』のまとめ」
https://www.mhlw.go.jp/stf/seisakunitsuite/bunya/0000045312/matome.html#0200

●業務を重要度に応じて分類し、感染者・濃厚接触者の人数、出勤可能な職員数の動向等を踏まえ、提供可能なサービス、ケアの優先順位を検討し、業務の絞り込みや業務手順を見直す。

・継続業務
・追加業務
・削除業務
・休止業務　に分類する

●訪問時間を可能な限り短くすることで対応できる業務を検討する。

●優先業務を明確にし、職員の出勤状況を踏まえ業務の継続を図る。

●事前に、優先的にサービスを提供すべき利用者をリストアップし、優先度に応じたサービスを提供する。

【様式9】災害時利用者一覧表（安否確認優先順位）に利用者情報を記入し、優先度を記載。

No	優先順位※			地域区分	氏名（年齢）	住所(自治会)	想定される避難場所		特記	担当ケアマネ	安否確認できた日
	医療・介護	保健	避難				避難所	介護・医療施設			
1	[illegible]	[illegible]	[illegible]	[illegible]	[illegible]	[illegible]		[illegible]	[illegible]	[illegible]	
2											
3											
4											
5											
6											
7											
8											
9											
10											
11											
12											
13											
14											
15											
16											
17											
18											
19											
20											

●応援職員への対応方法を事前に検討する。

・してほしいこと
・説明するべきこと
などを必要に応じて記入

出勤率ごとの業務を事前に検討しておく

出勤率に応じて業務を分別する

感染症でクラスターが発生した場合、感染者とともに濃厚接触者も2週間の自宅待機が必要となります。職員が少ない状況で、必要最大限の業務をおこなうことが重要です。

『【様式7】業務分類』を参考に、出勤率に応じて「必ず実施すべき業務」と「当面は提供を中止する業務」を振り分けておきます。

自然災害BCPと同様に、現在提供している介護サービス業務を重要度に応じて分類します。

次に、感染者・濃厚接触者の人数、出勤可能な職員数の動向などを踏まえて、提供可能なサービスとケアの優先順位を検討します。そしてBCP委員会で「出勤率に応じて提供する介護サービス業務の絞り込み」や「業務手順の変更」をおこない、BCPに記載します。

職員不足を想定して検討する

この際の注意点としては、職員に過剰な負担を強いるような業務の振り分けにならないようにしましょう。感染していない職員が過労で倒れては元も子もありません。

職員が感染者や濃厚接触者となった場合は、勤務が可能な職員と休職が必要な職員を把握し、勤務調整を実施しましょう。また、人員基準などについて制度上の制約がある場合は、指定権者へ相談したうえで調整をおこないます。感染症の場合、濃厚接触者に認定されると2週間の自宅待機となり、ほかの事業所からの応援もあまり期待できません。また、派遣社員や委託業者の職員は出勤しなくなるため、それ以上の欠員が生じる可能性が高いといえます。

クラスターが発生した場合、復旧までに小規模では1か月、大規模だと2～3か月要します。自然災害のように「○日頑張れば」という目処も立てることができません。

業務内容の調整（施設サービスの場合）

（6－1）提供サービスの検討（継続、変更、縮小、中止）

●業務を重要度に応じて分類し、感染者・濃厚接触者の人数、出勤可能な職員数の動向等を踏まえ、提供可能なサービス、ケアの優先順位を検討し、業務の絞り込みや業務手順の変更を行う。
（※新型コロナウイルス感染症対応に関して、介護報酬、人員、施設・設備及び運営基準などについては、柔軟な取扱いが可能とされている。以下参照）
厚生労働省「『新型コロナウイルス感染症に係る介護サービス事業所の人員基準等の臨時的な取扱いについて』のまとめ」
https://www.mhlw.go.jp/stf/seisakunitsuite/bunya/0000045312/matome.html#0200

●優先業務を明確にし、職員の出勤状況を踏まえ業務の継続を図る。
【様式7】業務分類（優先業務の選定）を行い、サービス提供の優先順位を明確にしておく。

●サービスの範囲や内容について、保健所の指示があればそれに従う。

●応援職員への対応方法を検討しておく。

【様式7】業務分類（優先業務の選定）とサービス提供の優先順位

様式7：業務分類（優先業務の選定）
（注）施設・事業所の状況に応じて、項目を追加・削除・修正してください

施設の業務を重要度に応じて4段階に分類し、出勤状況を踏まえ縮小・休止する。入所者・利用者の健康・身体・生命を守る機能を優先的に維持する。（出勤率をイメージしながら作成）

分類名称	定義	業務例	出勤率			
業務の基本方針						
A:継続業務	・優先的に継続する業務 ・通常と同様に継続すべき業務	食事、 排泄、 医療的ケア、 清拭　等				

感染症の渦中におけるメンタル対策

日頃から職員の体調を気にかける

介護施設で働く職員は、新型コロナウイルス感染予防のための作業が増え、過重労働になるほか、風評被害というプレッシャーを抱えています。

新型コロナウイルス感染症が5類相当になったことで、テレビなどでの報道は少なくなりました。しかし、感染症が落ち着いたとしても、たとえば令和6年1月の能登半島地震などのニュースにて、不安を煽るような内容などがあり、職員は当然そのような情報に触れます。そのため、不安を引き続き感じることも理解できます。

こういった状況下で、職員の不安やストレスをゼロにすることは難しいです。しかし、職員の不安を緩和することはできます。体調を報告してもらう際に、職員の話を聞いて不安を受け止めることや、元気になって仕事に戻ってきてくれることを待っていると伝えることが、すぐにできることだと思います。

声かけの意識が大切

介護サービスは、人とのつながりのなかに「お互いさま」の文化があるから成り立っていると思います。だからこそ、不安や緊張感を和らげるためにもコミュニケーションが重要になってきます。そして、自宅待機となっていた職員が職場に復帰してきたときには、リーダー職員が率先して声をかけるようにしましょう。

相談窓口やメンター制度の設置

ある事業所では、コロナ禍を契機に事業所内に相談窓口を設置したり、自治体が実施している精神保健福祉センターの連絡窓口の見える化をおこないました。

そのほかにも、先輩社員がメンターとなり、後輩社員に対して業務やメンタル面に関する相談に乗る「メンター制度」を導入しました。職員の声を聞く体制は今後の運営にも必要不可欠です。

過重労働・メンタルヘルス（在宅サービスの場合）

労務管理

●職員の感染状況等に応じて勤務可能な職員をリストアップし、調整する。
●職員の不足が見込まれる場合は、早めに応援職員の要請も検討し、可能な限り長時間労働を予防する。
　　可能な応援要請先
●勤務可能な従業員の中で、休日出勤や一部の従業員への業務過多のような、偏った勤務とならないように配慮を行う。
●事業所の近隣において宿泊施設、宿泊場所を確保する。
　　宿泊施設、宿泊場所

長時間労働対応

●連続した長時間労働を余儀なくされる場合、週１日は完全休みとする等、一定時間休めるようシフトを組む。
●定期的に実際の勤務時間等を確認し、長時間労働とならないよう努める。
●休憩時間や休憩場所の確保に配慮する。

コミュニケーション

出勤する職員が少ない期間は、在宅サービスを休業、または縮小。在宅サービスの職員を施設サービスに勤務シフトして、職員の負担を減らすことを優先する。

可能な限り、平常時の勤務態勢の維持に努め、過重労働とならないように配慮する。特に、一部の職員が連続した夜勤業務とならないように配慮する。感染拡大時は、制度上の特例があるため、通常の配置基準に拘らず、必要最低限のケアが出来る体制とすることを心がける。職員が過労倒れては業務継続が不可能である。職員の健康維持を最優先として、同時に被災時のストレス（惨事ストレス）やメンタルケアに配慮し、平常時から職員が自ら出来るセルフケアの方法などを、研修や訓練時に周知する。

●管理者は、日頃の声かけやコミュニケーションを大切にし、心の不調者が出ないように努める。
●風評被害等の情報を把握し、職員の心のケアに努める。
　　定期的に、メンタルヘルスとセルフケアの研修を行う

相談窓口

職員誰もが情報発信をおこなえるようにする

情報発信のひな型を用意しておく

緊急時は、役割を事前に決めていたとしてもうまくいかないことが想定されます。

しかしながら、情報発信においては、緊急時でも利用者及び職員のプライバシーに配慮し、風評被害などを招かないよう、正確で丁寧な説明に努めることが求められます。そのため、職員全員が最低限説明できるように準備しておく必要があります。

ある施設では、ケアマネジャーの連絡先、利用者の連絡先、利用者家族の連絡先をまとめた「緊急事態リスト」を準備しています。また、施設・事業所の状況などをウェブサイトに瞬時にアップするためのひな型を用意していたりもします。

ほかにも第一報のためのＦＡＸ、ＤＭ、問い合わせ対応の電話マニュアル、周辺地域への告知方法のマニュアルを用意しているところもありますので、是非参考にしてください。

平時から準備しておく

新型コロナウイルス感染症では、想定より自法人への批判が多く起こる可能性があります。厚生労働省の指針に従いつつ、正しい情報を伝える手段を構築することが重要です。特に、左ページの図にある人と接触するシーンすべてにおける基本対策を決定し、打ち出すことが大切です。

対策として、情報共有アプリやテレビ会議アプリを活用し、対面でおこなう活動を最小限にすることをおすすめします。そのためにも、インフラ整備を早急に整えることが、いますぐにできることかと思います。

ほかにも、ＢＣＰ委員会などを通じて、休業中のサービスを利用していた利用者のサポート方法や、職員の応援体制（応援職員の手当も含む）、濃厚接触者特定方法も検討しておきましょう。

情報発信が必要な場面を洗い出す

家族面会／[illegible]／[illegible]／[illegible]／家族罹患者発生時／[illegible]／外部研修への参加／[illegible]／訪問営業／実績渡し／飲み会への参加／外食／イベントへの参加／社内研修／海外（国内）旅行／外部からの営業活動／歓迎会・送別会／[illegible]／[illegible]など…

情報発信（在宅サービスの場合）

関係機関・地域・マスコミ等への説明・公表・取材対応

1. 情報発信にあたっては、[illegible]において一括して行う。
2. マスコミ等の取材については、すべて[illegible]が対応することとする。
3. 情報の公表にあたっては、利用者及び職員のプライバシーに配慮し、風評被害等を招かないよう、正確で丁寧な説明に努めることとする。

利用者への再開支援について ※通所のみ

●特に通所系サービスでは、新型コロナウイルス感染症への不安等から、利用者本人・家族の意向により、サービスの利用を一時的に停止する、いわゆる「利用控え」が起きる場合がある。そのような場合、利用者が本来必要とする介護サービスが行き届かなくなる可能性があることから、当該利用者に対し、
・ケアマネジャーと連携し、定期的に利用者の健康状態・生活状況を確認する
・利用者の希望等、必要に応じて代替サービスの利用を検討するとともに、利用者本人・家族の感染不安等に寄り添いつつ、
・これまで利用していた介護サービスは心身の状態を維持する上で不可欠であること
・事業所において徹底した感染防止対策を実施していること等を説明して、介護サービスの利用再開に向けた利用者への働きかけを行う。

関係者・対象者に合わせて、
情報発信の準備をしておくことを
おすすめします

COLUMN

BCP作成と訓練のポイント

新型コロナウイルス感染症を経験して

ここ数年、新型コロナウイルスの感染対策を余儀なくされました。実際にクラスターが発生した施設・事業所では、いろいろな対応をおこなった経験があるかと思います。しかし、クラスターなどを経験していない施設・事業所では「防護服は動きにくく暑いから、袖のないベストタイプはどうか?」「フェイスガードは利用者さんにぶつかるので、目の周りだけのタイプはどうか?」といった疑問が浮かぶようです。また、新型コロナウイルス感染症が5類相当に移行してからは、クラスターを経験した施設・事業所でも感染症への危機意識が薄くなっていると実感しています。

そのため、実際にクラスターが発生した現場の様子や、そのときの職員・利用者のメンタル面の課題などを伝えることで、職員の感染に対する意識が変わり、より実用性のあるBCPを策定することができるようになるでしょう。ネットなどで実際にあった介護施設・事業所のクラスター事例など調べて、職員に共有してもよいと思います。

訓練は「机上訓練」がおすすめ

BCPの作成が一通り終わったら、研修と訓練の方法が気になるかと思います。感染症BCPの訓練は、机上訓練（シミュレーション）をおすすめします。その際に厚生労働省の『新型コロナウイルス感染症感染者発生シミュレーション〜机上訓練シナリオ〜』を活用するとよいでしょう。訓練参加者のグループ分けをおこない、議題について5〜10分程度ディスカッションします。その後、グループごとに発表します。全グループの発表後、『机上訓練シナリオ』にある「解説」を読み合わせて共有しましょう。このとき、グループ発表の内容に正解はないので、批評しないことが原則です。これによって、新たな考えや対処の気づきも生まれ、感染症BCPの見直しにつながります。自然災害BCPも同様の方法でおこなってよいと思います。

第4章

障害福祉サービスのＢＣＰ

障害福祉サービスでも令和6年4月より義務化！

利用者が安心できる環境を

令和3年度の障害福祉サービス等報酬改定において、すべての障害福祉サービスにBCPの作成が義務づけられました。また、令和6年度の障害福祉サービス等報酬改定の内容にて「BCPが未策定の場合の基本報酬減算」が設けられました。

ここ十数年で東日本大震災や能登半島地震、新型コロナウイルスまん延に伴うパンデミックの発生など、想定を超える事態に数多く見舞われています。

改めて、障害福祉事業においてもBCPが重要になっています。緊急事態に直面しても重要な事業を中断させずに、また、中断したとしても早期に復旧できる組織を目指してBCPを策定しなければいけません。BCPとは、いわば「復旧手順書」といえるのではないかと思います。

複数の職員でBCPを作成する

BCPは管理者や担当者が1人で作成するのではなく、職員複数人で作成することが重要です。事業所の職員の数が少なかったり、相談支援専門員が1人の事業所であっても、法人本部や関係先法人と連携して作成することをおすすめします。利用者の方に長く利用していただくためにも、安心感を与えるBCPの作成は必要不可欠です。

障害特性に合わせた検討が必要

介護事業所と違い、障害福祉事業所においては、利用者個々の障害特性に合わせて検討するとともに、教育的に関わることも必要です。

たとえば、感染症が発生した際、障害特性により、利用者が自身の体調の変化を自発的に伝えることが難しい場合も想定されるため、普段接している職員が体調の変化に気づくことが重要になります。こういった体調の変化を共有する方法についても検討し、委員会の議事録などに記載しておきましょう。

誰でもすぐに行動に移せるように

いつ誰がどのような役割を果たすのか、災害や感染症が発生してみないとわからないのが正直なところです。地震や感染症のような突発的に起きる出来事に対応するうえでは、できるだけ不安を除去したＢＣＰを用意しておきたいものです。そのためには、サブリーダーを施設内に複数つくること、訓練と検証を重ねてブラッシュアップをする機会が重要です。

また、今後、業界誌やインターネットで多くのＢＣＰ関連の情報と事例が出てくるかと思います。情報収集をしつつ事例などを持ち寄り、委員会で議論をおこなっていくことが大切です。

BCP委員会の議事録（参考）

BCP委員会（定期）会議議事録

日頃の業務お疲れ様です。感染症の流行に伴い、以下ご確認をお願いいいたします。
上記の内容について以下共有いたします。

日時	○○年○月○日（○）00:00～00:00
場所	多目的ホール
参加者	管理者、相談員、看護職員、指導員、介護職員

感染者数

○○県内の新型コロナウイルス感染状況について		
○○年○月○日～ ○○年○月○日	○○年○月○日～ ○○年○月○日	○○年○月○日～ ○○年○月○日
○人	○人	○人
○○県内のインフルエンザ感染状況について		
○人	○人	○人

1. 全体・法人としての注意喚起・伝えたいことについて
2. 利用者の状況
3. 職員の状況
4. 考察
5. 次回の会議について

以上

最新情報を1つに集約する体制を

緊急時、情報は1か所に集める

複数拠点を運営されている法人では、本部機能などを持たれているところも少なくありません。「どこで災害が起きたのか」「利用者や職員がどのような状況か」などの情報を1か所にまとめ、そのうえで管理・活用することが重要です。情報を1か所に集めるためには、常日頃から情報を集約する体制（左ページの「担当者の役割」など）をつくっておくことが大切です。しかし、すべての情報を一気に集めることは困難です。

まずは、情報の優先順位を決めてから情報を1か所に集めるとスムーズです。次に、集まった情報を精査します。その後、どこに、どのような情報が保存され、それらをどう組み合わせれば正しく有用な情報となるのかを検討します。精査した業務の内容や情報の質・量に沿って、どのように一本化するかを決定します。

多くの場合、紙媒体ではなく、アプリやITツールを導入して、デジタルで情報を管理することになると思います。生産性なども求められるので、BCPの作成をICT導入のきっかけにしてもよいのではないでしょうか。

ほかのサービスに比べて障害福祉サービスの利用者の多くがサービスに依存している

障害福祉サービスは、利用者やその家族の生活を継続するうえで欠かせません。感染者（や感染疑い者）が発生した場合でも、利用者に対して必要な各種サービスを継続的に提供しなければなりません。ただし、感染が発生した際には、障害福祉サービスでは食事や医療、入浴介助、施設内消毒、体温測定などやらなければならない業務が多くなります。

また、被災時は「建物設備の損壊」「社会インフラの停止」「被災時対応業務の発生による人手不足」などにより、利用者へのサービス提供が困難になることが考えられます。

介護サービスに比べると、利用者の多くが日常生活・健康管理、さらには生命維持の大部分を障害福祉サービス事業所などが提供するサービスに依存しています。そのため、ほかの業種よりも障害福祉サービスでは、サービス提供の維持・継続の必要性が高く、BCP作成など準備がより求められるのです。

担当者の役割（例）

班構成	実施内容	班に含めることが望ましい職種など
本部	地震災害応急対策の実施全般について一切の指揮をおこなう。	施設長
情報班	行政と連絡をとり、正確な情報の入手に努めるとともに適切な指示を仰ぐ。利用者家族へ利用者の状況を連絡する。	事務、相談員、ケアマネなど
消火班	地震発生直後直ちに火元の点検、ガス漏れの有無の確認などをおこない、発火の防止に万全を期すとともに、発火の際には消火に努める。	防火管理責任者
応急物資班	食料、飲料水などの確保に努めるとともに、炊きだしや飲料水の配布をおこなう。	事務
安全確保班	利用者の安全確認、施設設備の損傷を確認し報告する。隊長の指示がある場合は利用者の避難誘導をおこなう。家族への引継ぎをおこなう。	事務
救護班	負傷者の救出、応急手当および病院などへの搬送をおこなう。	医師、看護師など
地域連携班	地域住民や近隣の福祉施設と共同した救護活動、ボランティア受け入れ体制の整備・対応をおこなう。	相談員、ケアマネなど

※厚生労働省「介護施設・事業所における自然災害発生時の業務継続ガイドライン」（https://www.mhlw.go.jp/content/000749543.pdf）をもとに著者作成

災害情報、自治体の情報などを早急に収集できる体制を、日頃から準備しておくことをおすすめします

平時から「緊急時」を意識させる

短時間でも訓練をおこなう

障害福祉サービスは、介護サービスと異なり、サービス種別に応じて営業時間が異なります。

また、放課後等デイサービスなどでは特別支援学校からの送迎などもあり、毎回時間通りにサービス提供することは難しいです。

しかし、利用者の方にとっては生活を継続するうえで欠かせないものであり、被災時や感染者（や感染疑い者）が発生した場合でも、必要な各種サービスが継続的に提供されていなくてはいけません。

そのため、訓練の種類ごとに平時から短時間でも訓練をおこなっておくことが重要です。たとえば、左ページで紹介するような項目で短時間でも訓練をおこないましょう。

日常に関わりながら訓練を

実態に即した実戦的ツールとしても、BCPを活用することをおすすめします。災害や感染症の発生は、非日常のことかもしれませんが、〝日常のコト〟として捉えるためには常日頃から職員に危機意識を持ってもらうしかありません。

訓練は職員にとっての「体験」になるため、訓練をとおして仕事の「意味」を感じてもらうことがポイントです。自分自身につながる仕事として捉えてもらえるようにしましょう。

左の表で紹介している各訓練は、
BCPの訓練でよく取り入れられるものです。
それぞれおこなう場合もあれば、組み合わせて
実施する場合もあります

訓練の種類

項目	内容	ねらい
机上訓練	自然災害、感染対策の基礎知識や必要な対応について座学で学ぶ。	事業継続意識の醸成 対応基礎知識の習得
避難訓練	特に施設内において、自然災害発生時に適切な経路を使って指定避難場所まで避難できるかを確認する。	避難経路の把握
参集訓練	参集基準を確認しつつ、勤務中、休暇中、送迎中など、さまざまな場合に対応できるかを確認する。	参集基準の把握
初動対応訓練	自然災害、感染症発生時に初動対応ができるかを訓練する。フローチャートなどで流れを確認する。	事業の早期回復 二次被害の防止
安否確認訓練	主に自然災害発生時に、利用者、家族、職員の安否を確認する。	速やかな情報の集約
連絡訓練	行政や関係機関に速やかに報告や連絡が取れるかの確認をシミュレーション形式で実施する。	速やかな報告・連絡・相談
備蓄訓練	備蓄品を管理場所から適切に取り出し、発電機やガス代替機器を適切に取り扱えるかを確認する。	物品の管理場所と 取り扱い方法の把握
本部訓練	災害対策本部を模擬設置し、リアルタイムでの情報整理、指揮命令系統の確認等をおこなう。	フローチャートの把握 正確な情報の集約

放課後等デイサービスにおけるBCP

放課後等デイサービスの緊急時

入所施設やグループホームのように常に利用者が施設にいるサービスに比べると、放課後等デイサービスは利用者が施設にいる時間は限られています。そのため「何が何でも」被災時に事業を継続しなくてはならない、という属性の施設ではありません。ですので、同じ法人に放課後等デイサービスがある場合には、優先度は下がってしまいます。

障害特性によっては避難所生活が困難な場合も

施設を持っていると、緊急時に避難所などとして利用する可能性もあります。加えて、放課後等デイサービスの利用者である、発達障害や知的障害を抱えるお子さんのなかには、環境の変化や大きな刺激に弱い子も数多くいらっしゃいます。「慣れない避難所で何度も奇声を上げてしまい、ほかの避難者の迷惑にならないよう、やむを得ず自家用車で不安な夜を過ごした」といった事例も多く目にしました。

そのような事情を抱えるお子さんのためにも、1日でも早く日常を提供することが放課後等デイサービスの責務であり、ＢＣＰを作成する意味でもあると考えます。

時間や資源が限られている

たとえば、定員10名の小規模施設である児童発達支援・放課後等デイサービスでは、人的資源、つまり人手が限られています。そのため、少人数の職員でも対策がとれるように準備をしていきましょう。特に、緊急時の勤務状況をあらかじめ想定できるように、情報を整理しておくことがポイントです。

本書内容に関するお問い合わせについて

このたびは翔泳社の書籍をお買い上げいただき、誠にありがとうございます。弊社では、読者の皆様からのお問い合わせに適切に対応させていただくため、以下のガイドラインへのご協力をお願い致しております。下記項目をお読みいただき、手順に従ってお問い合わせください。

●ご質問される前に

弊社Webサイトの「正誤表」をご参照ください。これまでに判明した正誤や追加情報を掲載しています。

正誤表　https://www.shoeisha.co.jp/book/errata/

●ご質問方法

弊社Webサイトの「書籍に関するお問い合わせ」をご利用ください。

書籍に関するお問い合わせ　https://www.shoeisha.co.jp/book/qa/

インターネットをご利用でない場合は、FAXまたは郵便にて、下記"翔泳社 愛読者サービスセンター"までお問い合わせください。電話でのご質問は、お受けしておりません。

●回答について

回答は、ご質問いただいた手段によってご返事申し上げます。ご質問の内容によっては、回答に数日ないしはそれ以上の期間を要する場合があります。

●ご質問に際してのご注意

本書の対象を超えるもの、記述個所を特定されないもの、また読者固有の環境に起因するご質問等にはお答えできませんので、あらかじめご了承ください。

●郵便物送付先およびFAX番号

送付先住所　〒160-0006　東京都新宿区舟町5

FAX番号　03-5362-3818

宛先　(株) 翔泳社 愛読者サービスセンター

※本書に記載されたURL等は予告なく変更される場合があります。

※本書の記載内容は、2024年4月現在の法令等に基づいています。

※本書の出版にあたっては正確な記述につとめましたが、著者や出版社などのいずれも、本書の内容に対してなんらかの保証をするものではなく、内容やサンプルに基づくいかなる運用結果に関してもいっさいの責任を負いません。

※本書に記載されている会社名、製品名はそれぞれ各社の商標および登録商標です。

おわりに

ＢＣＰの作成に着手したという介護施設や事業所は決して少なくありません。同時に、まだ未完成で、途中で挫折したという話も多く耳にします。その理由としては、自分たちの地域では過去に大きな自然災害に遭ったことがなく、危機感がないというのが多いようです。それはあくまでも表面的な理由で、実は管理者だけで作ろうとしている。一部の幹部職員だけで作ろうとしていることが、根本的な原因です。また、一部で作成しようとしてＢＣＰが完成したとしても「一般職員のＢＣＰへの認識が甘い・ＢＣＰがうまく浸透しない・職員の危機意識が薄い」といった経営者サイドの不満が沸き起こります。これは、ＢＣＰの意味と正しい作成方法を知らないことが最大の原因です。

令和３年度介護報酬改定で義務化されたＢＣＰは、その経過措置が終了して義務化となっています。今後は、未作成の場合は運営基準違反として指導対象となります。また、令和６年度介護報酬改定において、減算も位置づけられました。しかし全国に目を向けると、厚生労働省の数字以上に作成する目処が立たない事業所が多いと感じています。やはり、小規模事業者が７割を占める介護業界において、ＢＣＰの作成義務化は荷が重いのです。

作成にあたり多くの時間を必要とするBCPですが、この本にはたくさんのヒントやノウハウが詰め込まれています。そして、完璧なBCPというものは存在しません。研修と訓練を繰り返し、常に現場と一緒にバージョンアップしていってください。

BCP策定は、BCP委員会などのリーダーを決めて作成していくのが望ましいと考えます。まずはBCPの意味を知り、そして職場や現場職員に周知する。ここをなくしては実効性のあるBCPの策定は難しいでしょう。感染症や自然災害の想定だけでは策定できません。

たとえば、被災時を想定したハザードマップを確認してBCPを策定しても、被害想定はできるかもしれませんが、被災時の職員確保までは想定できません。感染症BCPも同様、感染リスクの高い職員は介助ができなくなります。高齢の方と同居しているかなど、職員の感染リスクの確認も必要です。このようにして、「緊急時には出勤できそうか」「リスクが高い場合、出勤はしなくてよい」など、職員を守る対策も必要になってくるのです。

こうした想定をして現場の声を反映させることもBCP策定には重要です。ネット上の情報はもちろんですが、現場の情報交換も必要不可欠なのです。さらに、介護事業所ごとにBCPに関する対応が違ってくることも把握して、策定してください。

BCP策定には職場職員の理解が不可欠です。なぜならBCPの理解なしに訓練（シミュレーション）は不可能だからです。実際に最悪を想定して訓練をし、参加した職員から問題点などを出してもらい、さらに研修・訓練をすることで解決策を見出していきます。職員は自分の置かれてる環境を理解し、さらには存在意義も感じ、自分たちの使命がモチベーションアップにもつながるでしょう。回を重ねていくことで、職場全体でいま置かれている事業を多面的に把握することができるようになります。これは大きなリスクマネジメントにもつながるのです。

日本では、想定できないほどの自然災害が起きています。ハザードマップも常に見直し修正されています。感染症についても、いつ新しいウイルスが発生するかわかりません。最悪の状況を想定し、ＢＣＰ策定に着手してください。大きなリスクを最小限のリスクにできるよう、ぜひこの本を参考にしていただき、ＢＣＰの策定、研修、訓練（シミュレーション）までが定着できるよう早期に取り組んでください。

令和６年４月　著者を代表して　小林香織

著者プロフィール

小濱道博（こはま みちひろ）

小濱介護経営事務所代表。介護事業経営研究会最高顧問。一般社団法人医療介護経営研究会専務理事。介護経営コンサルタントとして、全国の介護施設等への個別支援を行う。近年は、全国の介護保険施設にてBCP作成およびLIFE活用コンサルティングを中心に活動。多くの支援実績を有する。介護事業経営セミナーの開催実績は北海道から沖縄まで全国で年間300件以上。全国各地の自治体主催講演、各介護協会、社会福祉協議会主催での講師実績多数。専門誌への連載、寄稿も多数ある。

【執筆担当】
第1章：P.14～P.23
第2章：P.26～P.39、P.96～P.109
第3章：P.112～P.115、P.118～P.119

小林香織（こばやし かおり）

株式会社ベストワン代表取締役。一般社団法人コグニティブ・サポート代表理事他。BCPコンサルティングは、全国の介護施設での指導実績多数。講演実績多数。心理学を用いたストレス対策、メンタルヘルスに関する講演、個別コンサルティングを主に介護施設・事業所を対象に行っている。自社主催セミナーも月1回のペースで開催。コロナ禍対策で職員のメンタルケアが急務ななかで介護施設の個別研修・指導を行う。

【執筆担当】
第1章：P.24
第2章：P.110
第3章：P.116～P.117、P.120～P.121、P.152～P.153、P.156～P.157、P.162～P.163、P.168

小林柔斗（こばやし じゅうと）

一般社団法人コグニティブ・サポート理事および小濱介護経営事務所専任コンサルタントとして活動。BCPコンサルティングおよび身体評価や運動提供のできるシステムである4MSシステムの導入コンサルティングも担当する。自社主催セミナーを月に1回開催。現在、埼玉県草加市のリハビリ特化型デイサービスベストワンFunでの業務も行いながら独自のコンサルティング活動を広げている。

【執筆担当】
第2章：P.40～P.95
第3章：P.132～P.151、P.154～P.155、P.158～P.161

執筆協力

山村樹（やまむら いつき）

栃木県を拠点に置くEducarealize Groupの経営戦略室長。Future Grip研究所代表。全国の700件の介護福祉施設を行脚し、一貫して介護福祉に特化した経営コンサルティングを展開。支援実績200件。現在は、Educarealize Groupの後継者としても活動しながら、業界初の次世代コミュニティ支援サービス「エフジーラボ」をサービス展開。

【執筆担当】
第3章：P.122～P.131、P.164～P.167
第4章：P.170～P.176

ダウンロードデータのご案内

本書で使用している自然災害BCP、感染症BCP、それぞれのひな型はダウンロードデータとして提供しています。
以下のサイトからダウンロードして、ご活用ください。

https://www.shoeisha.co.jp/book/download/9784798186498

・付属データのファイルは圧縮されています。ダウンロードしたファイルをダブルクリックすると、ファイルが解凍され、利用いただけます。

・画面の指示に従って進めると、アクセスキーの入力を求める画面か表示されます。アクセスキーは「2405sukkiriBCP」です。半角英数字・大文字・小文字を区別して入力してください。

●ダウンロードデータに関する注意

※付属データに関する権利は著者および株式会社翔泳社が所有しています。許可なく配布したり、Webサイトに転載することはできません。
※付属データの提供は予告なく終了することがあります。あらかじめご了承ください。

●免責事項

※付属データの記載内容は、2024年4月現在の法令等に基づいています。
※付属データに記載されたURL等は予告なく変更される場合があります。
※付属データの提供にあたっては正確な記述につとめましたが、著者や出版社などのいずれも、その内容に対してなんらかの保証をするものではなく、内容やサンプルに基づくいかなる運用結果に関してもいっさいの責任を負いません。
※付属データに記載されている会社名、製品名はそれぞれ各社の商標および登録商標です。

そのまま使える〈スッキリ図解〉
介護・障害福祉BCP作成ガイド

2024年 5月27日 初版第1刷発行

著者 小濱 道博、小林 香織、小林 柔斗
発行人 佐々木 幹夫
発行所 株式会社 翔泳社（https://www.shoeisha.co.jp）
印刷・製本 株式会社 ワコー

本書へのお問い合わせについては、177ページに記載の内容をお読みください。

造本には細心の注意を払っておりますが、万一、乱丁（ページの順序違い）や落丁（ページの抜け）がございましたら、お取り替えいたします。03-5362-3705 までご連絡ください。

ISBN978-4-7981-8649-8 Printed in Japan